留学生のための

考えを伝え合う
プレゼンテーション

Skills for Exchanging Thoughts in Japanese Presentations

中級後半〜上級
日本語学習者向け

仁科浩美
NISHINA Hiromi

Kurosio くろしお出版

はじめに

　本書は、外国人留学生が研究に関する報告や発表を行う際（さい）に必要となる、基礎的（きそてき）な知識や考え方、日本語表現を学ぶために作成したものです。中級後半から上級レベルの日本語学習（しゅう）者を主な対象（たいしょう）としています。プレゼンテーションに関する書物やインターネットによる情報は、世の中に溢（あふ）れている時代ですが、外国人留学生が日本語で研究について発表することを扱（あつか）った教材（きょうざい）はまだ十分に提供（ていきょう）されているとは言えません。本書の特色として、発表後の質疑（しつぎ）応答（おうとう）にも丁寧（ていねい）に触れ、発表例の動画を取り入れる等、対話重視（じゅうし）の姿勢（しせい）を学べるような構成にしました。

　今日（こんにち）、自分の考えを説明したり、何かを提案（ていあん）したりするとき、話して伝える「プレゼンテーション」という方法は必要不可欠なものになっています。それは、大学の中だけのことではなく、大学卒業後の職場（そつぎょうご）などにおいても同様であり、あらゆる場面で求められる伝達手段となっています。

　発表者がプレゼンテーションを行っている間、聞き手はその話を耳から聞き、スライドを目で見て、発表者と意思の疎通（そつう）を図っています。発表者は、聞き手と向き合いながら、相手の耳と目を通し、自分が伝えたいことが正確に伝わるようにすることが大切です。

　留学生の皆さんにとって、外国語である日本語を使い、専門に関することを人前（ひとまえ）で話すのは、非常に緊張（きんちょう）することでしょう。しかし、会場にいる聞き手に自分が調べたことや研究した結果を理解してもらい、内容がもっと良くなるように、意見を交換（こうかん）したり、アドバイスがもらえたりしたら、うれしいですよね。そのような有意義（ゆういぎ）な時間になるように、日本語でのプレゼンテーションに関する基本的（きほんてき）な構成やよく使われる日本語表現、相手に配慮（はいりょ）した態度（たいど）や話し方を学びましょう。

　教材作成（きょうざい）にあたっては、数年にわたって実際に学部や大学院で行われた研究発表会での発表を分析（ぶんせき）したり、発表した学生や指導（しどう）する教員にインタビュー調査を行い、取り上げる内容を検討（けんとう）しました。作成した教材（きょうざい）は、複数（ふくすう）の他大学（ただいがく）の日本語の授業でも試用をお願いし、改善（かいぜん）を続けました。ご協力くださった先生方、学生の皆様に御礼を申し上げます。特に、宇都宮（うつのみや）大学の鎌田美千子（かまだみちこ）先生には教材（きょうざい）の企画（きかく）の段階（だんかい）から貴重（きちょう）な助言を数多（かずおお）くいただきました。また、動画の作成にあたっては、山形大学工学部の教員および学生の皆さんに多大なるご理解・ご協力（きょうりょく）をいただきました。お一人ずつお名前を出すことは控（ひか）えますが、皆さまに心から感謝（かんしゃ）の意を表します。そして、出版にあたり、終始ご尽力（じんりょく）くださいましたくろしお出版の市川麻里子（かわまりこ）さん、薮本祐子（やぶもとゆうこ）さんに深く感謝（かんしゃ）申し上げます。

　本書が、これから大学でプレゼンテーションを行おうとする皆さんのお役に立てれば幸いです。

2020 年 7 月

仁科 浩美（にしな ひろみ）

本書の一部は、JSPS 科研費 26370585「口頭発表時における質疑応答コミュニケーション能力を高めるための教育方法の開発」（平成 26 年度〜平成 29 年度、研究代表者：仁科浩美）の助成を受けた成果をもとにしたものです。

目 次

この本をお使いになる方へ

◉全体の構成

　本書は、15 課から構成されています。大きくは、以下のように 5 つの内容に分けることができます。

Ⅰ　プレゼンテーションに関するウォーミングアップ　（第 1 課〜第 3 課）
Ⅱ　研究発表　　　　　　　　　　　　　　　　　　（第 4 課〜第 8 課および第 14 課）
Ⅲ　発表スライド　　　　　　　　　　　　　　　　（第 9 課〜第 10 課）
Ⅳ　質疑応答　　　　　　　　　　　　　　　　　　（第 11 課〜第 13 課）
Ⅴ　発表の実践と振り返り　　　　　　　　　　　　（第 15 課）

このほかに、実際の研究発表をもとにした発表の一例を付録として掲載しています。

◉課の構成

　1 つの課は、内容解説（解説を読んで理解する部分）と、実践タスク（考えたり、話し合ったり、発表する部分）、日本語表現（使える表現を覚える部分）の 3 つに分かれます。

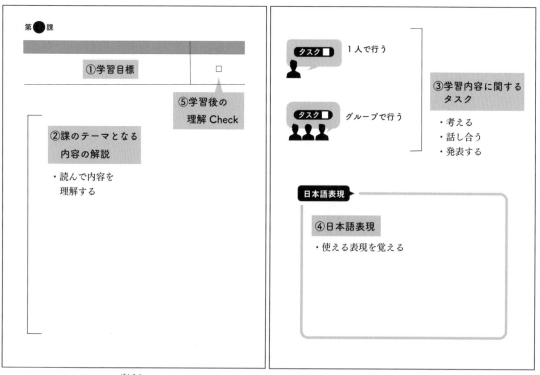

　第●課
　①学習目標　　　　□
　　　　　　　⑤学習後の理解 Check
　②課のテーマとなる内容の解説
　　・読んで内容を理解する

　タスク■　1 人で行う
　タスク■　グループで行う
　③学習内容に関するタスク
　　・考える
　　・話し合う
　　・発表する
　日本語表現
　④日本語表現
　　・使える表現を覚える

※本書では、原則として日本語能力試験 N2 レベル相当以上の漢字にふりがなをつけました。

①学習目標

　その課で何を学習するかを理解します。学習する項目を事前に理解しておきましょう。

②課のテーマとなる内容の解説

　学習する内容についての解説を読みます。授業に出席する前に、読んでおくとその日の学習内容がわかりやすくなります。わからないところがあったら、授業のときに、積極的に質問しましょう。

③学習内容に関するタスク

　②で学んだことを具体的に考えたり、話し合ったり、実際に発表したりします。自分1人で行う「個人タスク」と、クラスメートと行う「グループタスク」があります。自分と異なる意見に耳を傾けたり、成果物を見せ合い、他の人から自分にはない良い点を学びましょう。他の人と意見を交換する活動を通して、コミュニケーション能力を高めることも、この本の大きな目的の1つです。

④日本語表現

　発表の際によく用いられる日本語表現を学習します。③のタスクを行った後、④で使える表現を覚える方法と、④を学習してから③を行う方法があります。

⑤学習後の理解 Check

　この課の内容が理解できたかどうか、自分で振り返り、確認します。

・Note：発表を行うのに知っておくと役に立つ情報を7つ掲載してあります。

●本書の WEB サイト

　次のアドレスから①②のデータを配信していますのでお使いください。

※一部、本書紙面と動画音声・字幕が異なる部分があります。
　その場合は、本書の方を参考にして下さい。

https://www.9640.jp/books_842/

①  発表例の動画教材があることを示しています。実際の発表に向けて参考にしましょう。

②タスク資料　第10課タスク1(2)(p. 85)のスライド作成の際に使える図を用意しました。

●別冊：解答例

　「タスク」の解答例を示しています。あくまで「例」であり、解答は1つとは限りません。

第 1 課　プレゼンテーションとは

学習目標	→ 学習後に Check
「発表」と「プレゼンテーション」の用語の使い方を理解する。	☐
アカデミック・プレゼンテーションの種類や特徴を理解する。	☐

1.「発表」と「プレゼンテーション」

　自分が研究した内容を他の人に知ってもらうために発表を行います。発表には2つの方法があります。1つは、論文やレポートに書いて伝える方法、もう1つは、ゼミや研究会などで話して伝える方法です。どちらも「発表する」という言葉を使って、「〜について論文に発表する」「〜について研究会で発表する」のように表すことができます。本書では、後者の、話すことにより考えを伝える「発表」について扱います。そして、公式の学会や研究会などで発表する前段階として、まずは、大学内で発表するために身につけるべきことを取り上げます。

　発表の際に、1つ気をつけたいことがあります。それは、単に調べたことを一方的に話すのでは不十分だということです。特定のテーマについて他の人の前で説明し伝えることを「プレゼンテーション presentation」（略してプレゼン）と呼びます。「プレゼンテーション」は、英語では "give a presentation"、"deliver a presentation"、"make a presentation" などと表現され、"give" や "deliver" が示すように、発表する側が聞き手に何かを与える、もたらすといった意味があります。「発表」を行うときにも、聞き手に何かを提供するという考えが重要で、聞き手のことを考えながら情報を伝えることが大切です。

　一般的に何かを紹介したり披露したり、企画を提示し、説明するような場合には、「プレゼン」の語が使用され、学会や研究会など、学術的な場面では「発表」の語が使用される傾向があります。本書では「発表」を用いますが、聞き手を意識し、何かを伝える気持ちを大切にする点は「プレゼン」と同じです。

2. 大学で行う発表の種類

　大学での勉強や研究に関して行う発表は、アカデミック・プレゼンテーションと呼ばれます。アカデミック・プレゼンテーションには以下のようなものがあります。

①口頭発表

　発表者が複数(ふくすう)の聞き手の前で一定時間説明します。スクリーンにスライド資料などの視覚(しかく)資料（図表、写真、絵、動画なども含(ふく)む）を映(うつ)しながら、説明することが多いです。本書では主としてこのスタイルについて学びます。

②ポスター発表

　A0サイズ（841×1,189mm）などの大きな用紙、すなわちポスターに研究内容をまとめ、その前に立ち、注目している聞き手に対して、研究発表を行います。発表後は聞き手の質問に随時(ずいじ)答えます。聞き手と近い距離(きょり)で対話し、質問に答える時間も口頭発表のように短い時間ではないので、お互(たが)いの関心に応(おう)じて活発な意見交換(こうかん)を行うことができます。詳(くわ)しい内容は、本書の第14課で学びます。

③報告会での発表

　自分が行っている研究について、現在何を行っているのか、以前の報告からどの程度進んだのか、順調(じゅんちょう)に進んでいるのか、何か問題が起こっているのかなどの進捗状況(しんちょくじょうきょう)について、所属(しょぞく)するゼミや研究室で報告をします。報告会の多くは、定期的に行われます。

④輪講(りんこう)や輪読(りんどく)での発表

　研究する分野における重要な文献(ぶんけん)を読んでいきます。1冊(さつ)の本を何人かで分担(ぶんたん)する場合や、テーマに関係する文献(ぶんけん)を1人ずつ担当(たんとう)する場合もあります。担当者(たんとうしゃ)となった場合は、書かれている内容を紹介(しょうかい)し、要点を説明します。文献は日本語に限らず、英語などの外国語で書かれたものの場合もあります。文献(ぶんけん)に書かれていることと、自分の意見や考えを区別(くべつ)して報告することが必要です。

　①、②は、卒業研究発表や、学会や研究会など外部の人も参加するような改(あらた)まった場(ば)で行われます。③、④の多くは、ゼミや研究室単位で行われます。

3. 発表の3つのポイント

発表を成功（せいこう）させるためには、次の3つのことを的確に行うことが大切です。

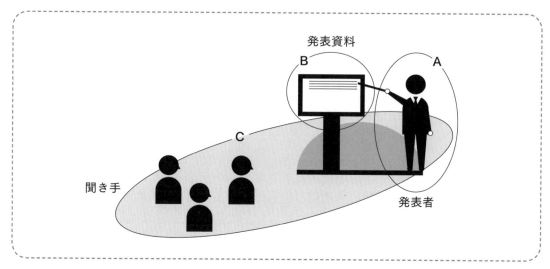

図 1-1　発表場面のイメージ

A. 発表スピーチ

　発表スピーチは、発表の中心に位置づけられるものです。音声を通して伝えられます。伝える内容と言葉が最も大切ですが、言語面だけでなく、表情、身ぶり、姿勢（しせい）や態度（たいど）といった非言語的な部分にも注意する必要があります。さらに、声の大きさや高さ、スピード、話し方なども聞き手に何らかのメッセージを伝えています。下を向いて小さな声でボソボソと話す、ポケットに手を入れながら話す、髪（かみ）を何度もかき上げるといった動作は、マイナスの印（いん）象を与えるので、気をつけましょう。また、会場の広さやマイク使用の有無（うむ）などの状況（じょうきょう）を考えて、声の大きさを調整することも必要です。

B. 発表資料の提示（ていじ）

　最近の発表の多くは、スライド資料を見せながら行われます。聞き手に発表内容がより伝わるように、色、デザイン、動画などを効果的（こうかてき）に使用し、視覚的（しかくてき）な工夫（くふう）をしましょう。

　また、スライド資料ではなく、要点を紙にまとめ印刷（いんさつ）した「ハンドアウト」「レジュメ」と呼ばれる資料を配付することもあります。この場合も、見やすい資料を作成しましょう。

C. 発表後の質疑応答（しつぎおうとう）

　発表だけで終了（しゅうりょう）するのであれば、情報は発表者から聞き手に一方的に流れるものでしかあ

りません。発表を通してさらに自分の研究を良くするためには、聞き手から質問やコメントをもらったり、意見交換を行ったりすることが大切です。この Q&A の時間を質疑応答と言います。この質疑応答により、新たな視点や考えを学び、次のステップにつなげることが重要です。

これまでの自分の発表から考える

タスク❶ これまであなたが行った発表にはどのようなものがあるか、考えましょう。

例）①大学 1 年のとき　　②中学校　　③日本の中学生 　　④自分の国の食べ物について　　⑤30 分　　⑥写真

①いつ　　　　　　　　　　　　　②どこで

③誰に　　　　　　　　　　　　　④何について

⑤発表時間（質疑応答も含む）　　　⑥提示したもの

タスク② 次の（1）（2）について、話し合いましょう。

（1）これまで自分が行った発表で成功したもの、他の人が行った発表で上手だと思ったものについて、話し合いましょう。

自分の発表で成功したもの	他の人の発表で上手だと思ったもの
①いつ	①いつ
②どこで	②どこで
③誰に	③誰が　誰に
④何について	④何について
⑤発表時間（質疑応答も含む）	⑤発表時間（質疑応答も含む）
⑥うまくいったと思う点	⑥良いと思った点

（2）自分たちがどのような発表を「上手だ」と評価しているかを考え、話し合いましょう。

上手な発表とは、

10

 次の A〜D の発表について、その目的、聞き手、気をつけるべきポイント
などを話し合い、表に書き入れましょう。

A. いろいろな学科の人が集まった大学の最初の授業で、初めて会ったクラスメートに
　 自分の専門について紹介する。
B. 小学校の国際理解教育の授業に招かれ、小学生の前で自分の国について紹介する。
C. 自分が考えた新しい商品を、会社の企画会議で上司や同僚の前で説明する。
D. 卒業発表会で研究について、学科の先生や他の学生の前で説明する。

第1課 プレゼンテーションとは

	A	B	C	D
目的	例）自分のことを覚えてもらい、クラスメートと良い関係が作れるようにする。			
聞き手	大学生のクラスメート			
気をつけるべきポイント	違う専門分野の人にもわかりやすいように、専門的な用語は使わないようにする。			

11

タスク4 タスク3で話し合った結果を参考に、アカデミック・プレゼンテーションの特徴（とくちょう）を考えましょう。

何のために話すのか（目的）

何について話すのか（内容）

誰（だれ）が聞くのか（聞き手）

自分の考えを理解してもらうために必要な情報は何か

ヒント：疑問解明（かいめい）　問題解決　開発　成果　伝える　説明する　共有する　意見交換（こうかん）する　アドバイス　コメント　新しい情報　新しい技術　調査したこと　実験したこと　わかったこと・わからなかったこと　考えたこと　研究室の人　同じ学科・専攻（せんこう）・分野の人　専門家　先生　学生　データ　事実

第2課　学科紹介・研究紹介（1）

発表までのプロセスと構成を理解する

学習目標	→ 学習後に Check
発表を行うまでのプロセスを理解する。	☐
発表の構成を理解する。	☐
基本的な表現を使って学科紹介・研究紹介の発表原稿を作成する。	☐

1.　発表を行うまでのプロセス

　発表することが決まってから、発表を行うまでには、通常、下図のような段階があります。まず、話すテーマを決め、発表時間や聞き手を考慮しながらどのような構成にするかを考えます（1. 内容決定）。話すのに必要な資料を集め（2. 資料収集）、発表原稿やスライド資料を作成し、自分自身で練習をしながら、構成や日本語の表現を何度も確認・検討し、必要があれば修正します（3. 原稿・資料作成、検討）。そして、発表当日と同じような状況で、誰かに聞いてもらいながら、リハーサルを行います。説明のわかりやすさ、スライド資料の見やすさ、時間配分などについてコメントをもらい、練習します（4. 発表練習）。本番までに自信を持って話せるように何度も練習することが大切です。そして、発表へと臨みます（5. 発表）。

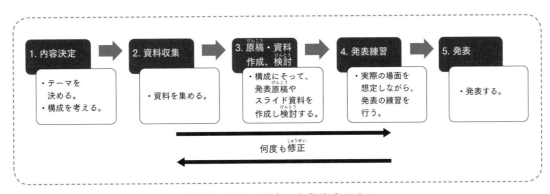

図 2-1　内容の決定から発表当日まで

2. 発表の構成

　発表は、アカデミックなものでもそうでないものでも、多くの場合3つの部分から構成されます。

例【日本に来て驚いたことを発表する場合】

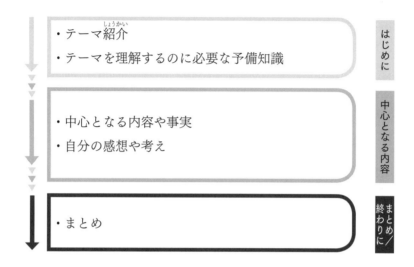

例【研究発表の場合】

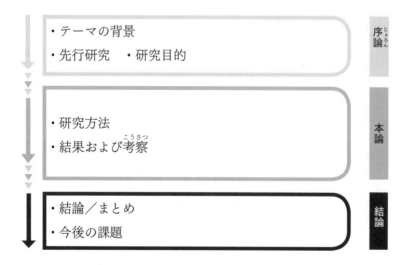

 **タスク 1** 自分の学科紹介または研究紹介を行う場合は、どのような構成で説明するのがよいでしょうか。どちらかを選んで、考えましょう。

＿＿＿＿＿＿＿＿＿＿＿＿＿＿＿＿＿について

日本語表現 1 ▶ 発表の進行や展開を述べる

▶ 発表を開始する

では、これから（題名）について

> 発表します。
>
> 発表いたします。
>
> 発表させていただきます。

例 ・では、これから「日本における通信手段の移り変わり」について発表いたします。
・では、これから「金属の疲労強度に関する研究」について発表させていただきます。

- -

▶ 次に移る

①では、次に、（項目）について

> お話しします。／ご説明します。
>
> お話ししたいと思います。
>
> ご説明したいと思います。

例 ・では、次に、研究の目的についてお話しします。
・では、次に、専門用語 A についてご説明したいと思います。

- -

②では、次に（項目）に移ります。

> 例　・では、次に先行研究の説明に移ります。
> 　　・では、次に結果に移ります。

▶発表を終了する

①｛以上で／これで｝発表を終わります。

②発表は以上です。

▶聞き手への感謝を述べる

①ありがとうございました。

②ご清聴、ありがとうございました。

日本語表現2 ▶ 学科紹介・研究紹介を行う

▶学科や研究分野で行われていることを紹介する

①（学科／専攻）では、（分野1）、（分野2）、（分野3）などといった｛勉強／研究｝をします。

> 例　・日本語教育学科では、日本語教育方法論、対照言語学、音声学などといった勉強をします。
> 　　・バイオ化学工学専攻では、生物工学、再生医療学、化粧品学などといった研究をします。

----

②（専攻／分野）では、（テーマ1）、（テーマ2）、（テーマ3）などといった研究が行われています。

> 例　・技術経営学専攻では、マーケティング、技術移転、産学連携などといった研究が行われています。
> 　　・ロボット工学の分野では、災害救援ロボット、ホームロボット、人間の動作解析などといった研究が行われています。

▶自分の学科や専攻で勉強・研究していることを紹介する

①私は（学科／専攻）で、（テーマ）について｛勉強／研究｝しています。

> **例**
> ・私は社会学科で、日本人の親子関係について勉強しています。
> ・私はロボット工学専攻で、災害時に対応できるロボットについて研究しています。

---

②私の学科はAで、（テーマ）について研究している｛研究室／ゼミ｝に所属しています。

> **例**
> ・私の学科は人間福祉研究科で、高齢者の介護施設について研究している研究室に所属しています。
> ・私の学科は建築学科で、日本の建築の歴史について研究しているゼミに所属しています。

▶動機やきっかけ

①この分野に興味を持ったきっかけは、（動機となったものや出来事）です。

> **例**
> ・この分野に興味を持ったきっかけは、中国で見た日本のアニメです。
> ・この分野に興味を持ったきっかけは、祖母が心臓の病気で入院したことです。

---

②（理由）ので、この分野で｛勉強／研究｝することにしました。

> **例**
> ・日本人と外国人社員との意思疎通について問題があると思ったので、この分野で勉強することにしました。
> ・体を写す画像処理に興味を持ったので、この分野で研究することにしました。

▶研究の目的や目標

①研究の目的は、（A／Aすること）です。

> **例**
> ・研究の目的は、新医療システム導入による成果の検証です。
> ・研究の目的は、新医療システム導入による成果を検証することです。

---

②（A／Aすること）を目的に研究を行っています。

> **例**
> ・漢字を効率よく学習できるアプリの開発を目的に研究を行っています。
> ・漢字を効率よく学習できるアプリを開発することを目的に研究を行っています。

---

③（Aの／Aする）ために、研究しています。

> 例
> ・タイ人の労働に対する意識の解明のために、研究しています。
> ・タイ人の労働に対する意識を明らかにするために、研究しています。

----

④私の研究の目標は、（A／Aすること）です。

> 例
> ・私の研究の目標は、フィンランド式の教育環境の導入です。
> ・私の研究の目標は、日本にフィンランド式の教育環境を導入することです。

----

⑤将来的には、（A／Aすること）を目指したいと思います。

> 例
> ・将来的には、より短時間で結果がわかる分析装置の開発を目指したいと思います。
> ・将来的には、より短時間で結果がわかる分析装置を開発することを目指したいと思います。

----

⑥（A／Aするようになること）を目標に研究しています。

> 例
> ・非漢字圏学習者の漢字アプリを利用した読書の実現を目標に研究しています。
> ・非漢字圏学習者が漢字アプリを使いながら読書を楽しめるようになることを目標に研究しています。

▶専門用語について説明する・補足する

①（専門用語）について、説明したいと思います。

> 例
> ・非言語コミュニケーションについて、説明したいと思います。

----

②（専門用語）{とは／というのは}、（用語の説明）です。

> 例
> ・「融点」とは、固体が液体になるときの温度のことです。
> ・「感動詞」というのは、感動したり、呼びかけるときに用いられる言葉です。

----

③（専門用語）は、（用語の説明）を {指します／言います}。

> 例
> ・「融点」は、固体が液体になるときの温度を指します。
> ・「感動詞」は、感動したり、呼びかけるときに用いられる言葉を言います。

----

④（専門用語）、すなわち、（言い換えた言葉）は、〜。

> 例
> ・「借用」、すなわち、借りて使うことは、日本語においてもたくさん見ることができます。
> ・ICT、すなわち、Information and Communication Technology（情報通信技術）は、今日、急速に進歩しています。

---

⑤簡単に言うと、（説明したいもの）は（例えるもの）に似ています。

> 例
> ・簡単に言うと、目の水晶体の働きはカメラのレンズに似ています。
> ・簡単に言うと、将棋は一種のボードゲームで、西洋のチェスに似ています。

---

⑥わかりやすく言うと、（説明したいもの）は、（例えるもの）と言えるかもしれません。

> 例
> ・わかりやすく言うと、CPU は、パソコンの心臓部と言えるかもしれません。
> ・わかりやすく言うと、開発している金属は、スポンジのような形状の金属と言えるかもしれません。

▶興味や関心を持ってもらうために、自分の研究と、日常との結びつきを説明する

①例えば、（研究対象）は、
[（活用例）にも使われています。
（場所）でも見ることができます。]

> 例
> ・例えば、この金属は、ゴルフクラブなどにも使われています。
> ・例えば、南米で多く生産されているこのキヌアという食べ物は、最近、スーパーでも見ることができます。

---

②Ａ などは、（研究対象）を応用した
[例です。
例と言うことができます。]

> 例
> ・この建築物などは、ハチの巣の形に例えられるハニカム構造を応用した例です。
> ・小さい穴、つまり空洞のある金属材料などは、マイクロバブルを応用した例と言うことができます。

19

タスク 2 タスク１（p.15）で考えた構成に基づいて、発表原稿を書きましょう。（第3課で発表します。）次の発表原稿例❶❷を参考にしましょう。

発表原稿例❶「学科紹介」

学科概要と研究室のテーマ	では、これから私の研究室について発表します。私の学科は化学工学科です。この学科では、私たちの生活をより豊かに、そして安全にするために、新しい技術や役に立つ化学物質を作り出すための技術や知識を学んでいます。私の研究室では大気圧低温プラズマに関する研究を行っています。
キーワードとなる専門用語の説明	ここで私の研究室のキーワードである、「プラズマ」について簡単に説明します。プラズマというのは、固体・液体・気体に続く物質の第4の状態です。気体の状態から温度を十分に上昇させると、分子が電離し、陽イオンと電子に分かれ、自由に運動します。通常は「電離した気体」と言われています。プラズマには、人工的なものと、自然環境から発生するものとがあります。 人工的なものの例としては、蛍光灯や、ネオンサインなどが挙げられます。一方、地球上のプラズマとしては、雷や太陽、オーロラなどがあります。
目標	プラズマ技術を使った、私たちの生活に関するものとしては、農薬を使わずに野菜を殺菌するという活用が考えられています。これができれば、無農薬栽培が可能になります。私自身の研究はまだ本格的に始まっていないのですが、プラズマに関する研究を行いたいと思っています。 以上で、研究についての紹介を終わります。ありがとうございました。

21

発表原稿例❷ 「研究紹介」

研究テーマ	私の研究についてお話します。私は、日本語の中での漢字の影響について研究しています。皆さんもご存じのように、日本の漢字は中国から伝わってきたものです。そして、中国語からたくさんの言葉を借用、すなわち、借りて、使っています。私が興味を持っているのは、もともとの中国語の言葉が日本語と接触することにより、日本語が新たな意味を持つという現象、専門的には意味借用と呼ぶ現象です。
研究テーマの具体例紹介	例えば、日本古来の言葉、これは和語と呼ばれていますが、その1つに、文字を書くことを表す「うつす」というのがあります。もともと「うつす」は「人や物を移動させる」という意味を持つ言葉だったと考えられますが、この言葉に意味的な影響を与えた漢字は「写真」の「写」の字です。9世紀頃から「うつす」は、この「写」という漢字の影響を受けて、「うつす」にはなかった「文字や文章を書写すること」「絵や図をコピーしたり、自分で創作したりすること」という意味を取り入れるようになりました。こうして「うつす」の意味が広がりました。このような現象が意味借用です。
目標	1つの言葉の移り変わりを知るために、昔の文献をたくさん調べていかなければならないので大変ですが、これから私は、このような意味借用がどのような状況で起こりやすいのか、どのような意味領域で起こりやすいのかを調べていきたいと思っています。 　発表は以上です。ありがとうございました。

第 3 課　学科紹介・研究紹介（2）

発表し、コメントし合う

学習目標	→ 学習後に Check
第2課で作成した原稿を用いて、発表する。	☐
聞き手からのコメントを受け止める。	☐
聞き手としてコメントをする際に用いられる日本語表現を覚える。	☐

1. 発表者として、発表を行い、コメントをもらう

　この課では、発表者と聞き手の両方の立場を体験します。第2課で作成した原稿を用いて、実際に発表してみましょう。発表場面はビデオやスマートフォンで撮影しましょう。自分の発表映像を見るのは、慣れないと非常に恥ずかしいかもしれませんが、客観的に見ることにより、自分の意外な姿に気がつくことも多くあります。スポーツ選手が常に自分のフォームを撮影しチェックしているように、自分を観察してみましょう。

　また、自分が行った発表について聞き手にコメントをもらいましょう。良い点に関するコメントだけでなく、もっと良くするためにはどうすればよいか、改善点についてもコメントをもらいましょう。誰でもほめられるのはうれしいものですが、マイナス点を指摘されるのは愉快でないこともあります。しかし、自分のために言ってくれた貴重な意見やアドバイスだと思って受け止めることが大切です。少し時間がたつと、「なるほど」「言われてみれば、確かにそうかもしれない」と思えることもあります。

2. 聞き手として、コメントをする

　自分の発表以外は、聞き手として参加します。興味を持って聞きましょう。発表を聞いた後は、発表の良かった点や改善が必要な点についてコメントをしましょう。改善点についてクリティカル（critical）に捉えて客観的にコメントするときでも、相手を不愉快にしたり、傷つけたりしないよう、言い方に注意しなければなりません。どのように伝えるのがよいか考えましょう。

次のような場面で、あなたならどのようなコメントをするか、考えましょう。

（1）プラスの評価をするとき

①聞き手が専門でなくてもわかる説明だった。

②日本語の発音がきれいだった。

③絵や写真がたくさんあった。

（2）改善が必要だと思われるとき

①内容が専門的すぎる。

②スライドの文が長い。

③話すとき、ずっと下を見ていた。

タスク1で考えた表現について話し合いましょう。他の人の良い表現はメモして書き留めておきましょう。

タスク 3 第2課のタスク2（p.20）で作成した発表原稿を使って、「自分の学科や研究室、または自分の研究」について発表しましょう。発表の様子は撮影しましょう。

（1）他の人の発表について、良かった点と改善点をコメントしてください。

```



```

（2）自分の発表について、他の人にもらったコメントをメモしておきましょう。

```



```

タスク 4 実際に発表した感想を話し合いましょう。

```



```

日本語表現 3 ▶ 改善が必要な発表についてコメントする

▶ よくわからなかった点について、自分の視点から指摘する

　 A が私には少しわかりにくかったのですが……。

　 例
　　・表1についての説明が私には少しわかりにくかったのですが……。
　　・調査の方法のところの話が私には少しわかりにくかったのですが……。

- -

▶改善が必要な点を柔らかい口調で述べる

① （改善案）と、もっと良かったのかなと思います。

例
・前を向いて話すと、もっと良かったのかなと思います。
・もう少し大きな声で話すと、もっと良かったのかなと思います。

- -

② （改善案）と良かったのではないかと思うのですが、どうでしょうか。

例
・テーマの背景をもっと詳しく話すと良かったのではないかと思うのですが、どうでしょうか。
・専門用語をもっとわかりやすく説明すると良かったのではないかと思うのですが、どうでしょうか。

- -

▶指摘だけでなく、具体的な提案もする

① （提案）たら、どうでしょうか。

例
・例をいくつか出して説明したら、どうでしょうか。
・専門用語が少し難しいので、説明を加えたら、どうでしょうか。

- -

② （提案）というのも1つかと思いますが、どうでしょうか。

例
・例をいくつか出してみるというのも1つかと思いますが、どうでしょうか。
・専門用語について説明を加えるというのも1つかと思いますが、どうでしょうか。

- -

③これは1つの考えですが、（提案）といいのではないでしょうか。

例
・これは1つの考えですが、年代別に見ていくといいのではないでしょうか。
・これは1つの考えですが、2つを比較してみるといいのではないでしょうか。

- -

▶理解を共有できる日常レベルでの説明を求める

それは私たちの日常では、　｜　どんなところと関係がありますか。
　　　　　　　　　　　　　　｜　どんなところで使われていますか。

26

◎発表例を視聴する

第2課の発表原稿例❶❷（pp. 21-22）をもとにした学科紹介・研究紹介の発表を見ましょう。

Note 1　緊張とどう向き合う？

　人前で話すとき、大抵の人は緊張するものです。ですが、緊張から必要以上に不安に陥るとますます体も硬くなってしまい、良い結果にはなりません。緊張するのは、「期待と興奮の表れ」と解釈しましょう。適度のストレスが良い結果を生むこともあります。次のように、博士課程の先輩たちも初めての発表のときはみんな緊張していたようです。

> 初めての学会発表では、すごく緊張して足が震えていた記憶があります。偉い先生からの質問に、見当違いのことを答えてしまったことを覚えています。

> 緊張しすぎて、あっという間に終わってしまいました。

> 緊張してあまり覚えてないんですけど、予定より3分も早く終わってしまった記憶があります。

　最初は誰もが緊張するものです。発表が上手な人も、最初から上手だったわけではなく、過去にたくさん失敗もしています。失敗を恐れず、発表という場に慣れていきましょう。緊張をほぐすためには、大きく深呼吸を2、3回してみるといいでしょう。もちろん発表の前には何回も練習することをお忘れなく。

第 4 課　研究発表（1）

学習目標	→ 学習後に Check
発表の序論部分を述べる際に必要な項目と内容を理解する。	☐
発表の序論部分を述べる際に用いられる日本語表現を覚える。	☐

1. 発表の導入で話すこと

　発表を聞いてもらうためには、聞き手に発表のテーマについて興味や関心を持ってもらうことが大切です。そのためには、テーマに関する身近な話題や最近の傾向、社会で話題や問題になっていることから話を始め、どのような分野の話であるかをまず伝えることが必要です。これにより、聞き手は自分の頭の中にある必要な知識を引き出し、発表を聞く準備が整うのです。

2. 研究発表の場合

　研究発表の場合は、第 2 課に示したように、導入となるテーマの背景の後に、先行研究や研究目的を述べます。

　先行研究の説明では、関連する分野について、他の人がこれまで行ってきた研究で既にわかっていること、まだわかっていないこと、さらに考えるべきことを整理して報告します。そして、まだわかっていないことを明らかにする必要があるから、自分がその研究を行うのだという流れで説明すると、研究の必要性が伝わりやすいでしょう。

　研究目的は、何のためにその研究を行うのかを述べる部分です。リサーチクエスチョン（Research Question）、すなわち研究課題は何か、明らかにしたいことは何かを明確にします。研究目的と結論は対応する関係にあり、最後の結論の部分では、目的が達成されたのかどうかを説明することが必要です。

 次のテーマで話すとき、導入としてどのような話をすればよいか、考えましょう。

（1）ごみ分別の制度を守る日本人の意識について

（2）英語が苦手だという日本人学生について

（3）日本のアニメが世界で人気がある理由について

（4）日本における米の消費量が年々減少してきていることについて

（5）来日する外国人観光客の増加の原因について

 タスク1（1）〜（5）から1つ選んで導入部分を話しましょう。導入としてわかりやすかったかどうか、聞き手にコメントをもらいましょう。

話した番号 （　　　）	もらったコメント

日本語表現4 ▶ 発表の導入を行う

▶テーマの背景として最近話題になっていることを紹介する

① {最近／近年／近頃／20xx年}、 ┌ Aが話題になっています。 ┐
　　　　　　　　　　　　　　　　 └ Aが発表されました。 ┘

　　例　・近年、労働者不足が話題になっています。
　　　　　・2018年、新システムが発表されました。

- -

②（情報源）によると、（話題の説明）。

　　例　・政府の報告によると、外国人の観光客数は年々増加しています。
　　　　　・国際調査によると、日本の企業における女性管理職の割合は非常に低いことが報
　　　　　　告されています。

日本語表現5 ▶ 先行研究、研究の目的や目標を述べる

▶先行研究を述べる

①（研究者名）は、（研究対象）について ┌ 分析しています。／述べています。 ┐
　　例　・森山は、来日の動機について分析しています。
　　　　　・田中は、時代別の特徴について述べています。

- -

②（研究者名）は、（研究対象）について（判明したこと）を明らかにしています。

　　例　・川村は、この材料について合成が可能であることを明らかにしています。

- -

③（研究者名）は、Aを目的に研究を行いました。

　　例　・山田は、事故の原因を明らかにすることを目的に研究を行いました。

- -

▶先行研究の不足部分を述べる

①しかし、（A／Aという点）については、

　　┌ まだ十分にわかっているとは言えません。／まだ不十分です。 ┐

例	・しかし、この魚の生態については、まだ十分にわかっているとは言えません。
	・しかし、なぜ発生したかという点については、まだ不十分です。

②しかし、Aを対象に調べた研究はほとんど見られません。

例	・しかし、東南アジアを対象に調べた研究はほとんど見られません。

▶研究の目的や目標

目的

①｛私の研究／本研究｝の目的は、（A／Aすること）です。

例	・私の研究の目的は、材質の構造的特徴の解明です。
	・本研究の目的は、材質の特徴を構造的に明らかにすることです。

②今回は、（A／Aすること）を目的に研究を行いました。

例	・今回は、都市部に暮らす老人の実態の解明を目的に研究を行いました。
	・今回は、都市部に暮らす老人の実態を明らかにすることを目的に研究を行いました。

③Aするために、研究を行いました。

例	・東日本に大量発生した原因を明らかにするために、研究を行いました。

目標

④私の研究の目標は、（A／Aすること）です。

例	・私の研究の目標は、南米におけるビジネスモデルの構築です。
	・私の研究の目標は、南米におけるビジネスモデルを作ることです。

⑤将来的には、（A／Aすること）を目指したいと思います。

例	・将来的には、漢字ソフトの開発を目指したいと思います。
	・将来的には、漢字ソフトを作ることを目指したいと思います。

⑥（A／Aすること）を目標に研究しています。

例	・患者の体への負担が少ない検査技術の確立を目標に研究しています。
	・患者の体への負担が少ない検査技術を確立することを目標に研究しています。

Aさんは、外国人観光客が日本を訪れたとき、どのようなサービスを必要としているかについて、既に公表されている調査報告をもとに調べました。今日はその発表を行います。次は、その序論を発表している部分です。

司会：では、今日の担当の方、よろしくお願いします。

スライド1
　　それでは発表を始めます。本日は「来日する外国人観光客に対して提供すべきサービス」という題で発表いたします。

スライド2
　　皆さんもテレビや新聞などで聞いたことがあると思いますが、ここ数年外国人の観光客数が増加しています。日本政府観光局、通称 JNTO の報告によると、2010 年には約 860 万人だった観光客が 2015 年にはその 2 倍以上の約 1900 万人を超えました。地域別では、やはり近距離の韓国・中国・台湾が上位を占めていますが、2015 年には米国からも 100 万人を超える人が日本を訪れています。

1. はじめに
● 来日外国人観光客の著しい増加

（日本政府観光局　JNTO, 2016）

観光客数：2010年　861万人
　　　　　　　　↓　　2倍以上
　　　　　　2015年　1974万人

地域別：韓国・中国・台湾　多数
　　　　2015年　米国　100万人超

スライド ③　これまでの調査では、旅行客がどのように旅行したかの実態調査が多く行われてきました。例えば、さきほどのJNTOでは、国別に来日観光客の訪日回数、滞在日数、旅行形態、訪問地などをまとめています。しかし、日本を訪れた外国人観光客がより快適に日本を楽しむためにはどんなサービスを提供すればよいのかについては、まだあまり受け入れ側に知られていないように思います。

　そこで、今回は、これまで発表されている調査をもとに、今後どのようなサービスを外国人観光客に提供すれば、より日本を楽しんでもらうことができるのかを考えたいと思います。

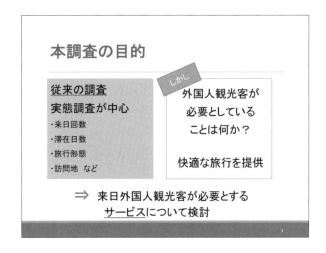

Note 2　発表で話す文の種類：3つの役割

　発表で話す文は、大きく分けて、A. 内容そのものについて述べる、B. 話の展開や流れを示す、C. 聞き手への配慮を示す、の3つがあります。内容についてだけでなく、聞き手がわかりやすいように注意しながら、話すことも大切です。

A　内容そのものについて述べる

研究内容そのものについて述べる文です。
- 300名を対象にアンケート調査を実施しました。
- この条件では30分経過後も大きな変化は見られませんでした。

B　話の展開や流れを示す

聞き手に対して、話題が次に移ることや、注目してほしい点について述べます。発表の進行や展開をわかりやすく伝えることができます。
- まず、背景についてご説明します。
- では、2つ目の先行研究に移りたいと思います。
- こちらの図をご覧ください。

C　聞き手への配慮を示す

聞き手がどのように理解しているかを考え、配慮の気持ちを述べます。
- 皆さんもご存じのように、〜。
- ここで、〜ということにお気づきかもしれませんが、〜。
- 少し見づらくて申し訳ありません。

第 5 課　研究発表（2）

本論―研究方法―

学習目標	→ 学習後に Check
研究方法について説明する際に、必要な項目と内容を理解する。	☐
研究方法について説明する際に用いられる日本語表現を覚える。	☐

1. 研究の方法を説明する

　研究発表の本論では、まず、研究方法を説明します。研究方法は、明らかにしたい課題をどのような方法で調査や実験したのかを話す部分です。この研究方法が聞き手に十分に伝わっていないと、後で結果を説明してもそれが適切なものなのかどうか聞き手には判断がつかず、理解することができないでしょう。例えば、「6と3と2を計算したら、4になった」と言われても、この答えにすぐに納得するのは難しいでしょう。「6を3で割り、2を加えた」と計算の方法が明確に説明されなければなりません。研究方法が不明確だと、発表の後に行われる質疑応答の時間は、調査や実験方法の確認の質問で終わってしまい、肝心の結果や考察の部分まで議論が深まりません。質疑応答を有意義にするためにも必要な事項を説明しておくことが重要です。

　次ページの表 5-1 に示すのは、研究方法について説明する際に必要となる主な項目です。発表時間や必要度に応じて、いくつかの項目を省略して話すことは可能ですが、スライドや配付資料などには、できるだけ明記したほうがいいでしょう。

　また、実験装置などはスライド資料で絵や写真を見せながら説明したほうが理解しやすいです。話すことと見せることの効果を考えながら、発表しましょう。

表 5-1　研究方法の説明に必要な主な項目　　　　　　　　　（※下線の言葉は表の後に説明があります。）

調査や実験の種類	項目
アンケート調査 （質問紙調査）	対象者、対象人数、年齢、性別 対象者の抽出方法 調査日 アンケート用紙の配付方法、回収方法 質問内容 回答方法（選択式・自由記述式） 回収率、有効回答数 分析方法
インタビュー調査 （面接調査、ヒアリング調査）	対象者、対象人数、年齢、性別 インタビュー所要時間 インタビュー方法（構造化面接法・半構造化面接法・非構造化面接法） 質問内容 記録方法（IC レコーダーやビデオ録画など） 分析方法
実験	実験装置、実験器具 試薬、試料（化学系の場合） 実験の手順 分析方法
文献調査	文献に関する情報 書籍：著者名、書名、発行年、出版社 論文：著者名、論文名、雑誌名／書籍名、発行年、ページ 白書などの資料：省庁名、資料名、発行年 ※インターネットから文献を得た場合は、URL と閲覧日を示す。

【用語の解説】

・回答方法

　　選択式：いくつかの選択肢の中から最も適した回答を選ぶ方法。

　　自由記述式：質問に対して自分の言葉で自由に書く方法。

・インタビュー方法

　　構造化面接法：質問内容や項目などを事前に全て決めておき、それに基づき質問する方法。

半構造化面接法：主な質問項目は決まっているが、面接者が必要と思えば、質問を追加したり、

　　　　　　　　　　回答の意味を確認することができる。構造化面接法と非構造化面接法の中間的

　　　　　　　　　　方法である。

　　非構造化面接法：構造化面接法と異なり、その場の流れで自由に質問と回答を行う方法。

・試薬：化学実験で反応させる目的で製造した薬品、Reagent。

・試料：試験、検査、分析などの対象となる物質、Sample。

・文献：文書や書物。

次の例を参考に、（1）〜（3）の調査や実験について、A. どのような項目を述べる必要があるか、B. その具体的な例を考えましょう。（項目の表し方は Note 3（p. 42）を参照してください。）

例）ごみ分別の制度を守る日本人の意識についてアンケート調査を行った。

A. 項目	B. 具体例
対象者	市内に住む日本人 300 名
配付方法	郵便で送付
回答方法	選択式
質問内容	分別の必要性、適切な分別数、分別時の問題点など

（1）日本のアニメが好きな理由についてアンケート調査を行った。

A. 項目	B. 具体例

（2）英語が苦手だという日本人学生にインタビュー調査を行った。

A. 項目	B. 具体例

（3）赤外線カメラ（サーモグラフィ thermography）を使って、シャワーを浴びた場合と、浴槽を使用してお風呂に入った場合の体の温まり方を調べた。

A. 項目	B. 具体例

タスク 2

タスク1（1）～（3）から1つ選び、研究方法部分を発表しましょう。研究の方法をイメージすることができたか、聞き手にコメントをもらいましょう。

話した番号 （　　　）	もらったコメント

▶調査の概要を説明する

①調査は、（対象者／対象物）{に対して／を対象に} 行いました。

> 例
> ・インタビュー調査は、日本人の会社員6名に対して行いました。
> ・調査は、30年以上経過した住宅100戸を対象に行いました。

②調査は、{（時期）に／（時期）から（時期）にかけて} 実施しました。

> 例
> ・調査は、2020年3月に実施しました。
> ・アンケート調査は、2020年1月から2月にかけて実施しました。

③調査内容は、（項目）などです。

> 例
> ・調査内容は、化粧品の購入場所、1か月の購入金額、購入理由などです。
> ・調査内容は、住宅の耐震性、建材、壁のひび割れ、床の傾きなどです。

④（資料／データ）を {使い／用い／もとに}、（項目）について調べました。

> 例
> ・観光白書を用い、来日者数が多い国について調べました。
> ・3つのデータをもとに、日本人が持つ留学生に対するイメージについて調べました。

▶実験装置、試薬や試料を説明する

①実験装置には、（装置の機種名）を用いました。

> 例
> ・実験装置には、T社の08BTDを用いました。

②{実験／分析} は、（装置の機種名）を用いて行いました。

> 例
> ・実験は、T社の08BTDを用いて行いました。
> ・分析は、統計ソフトxxx ver. 26を用いて行いました。

③{試薬／試料} には、（薬名）を使用しました。

> 例
> ・試薬には、薬剤Aを使用しました。
> ・試料には、A社製DB100型の炭素微粉を使用しました。

スライドを見せながら、

④こちらが（実験装置）の ｛図／写真／映像｝ です。

> 例
> ・こちらが分解装置の図です。
> ・こちらが本研究で用いたロボットアームの映像です。

----

⑤この部分は（装置の説明）で、ここは（装置の説明）となっています。

> 例
> ・この部分は液体を混ぜる装置で、ここは超音波を発生させる装置となっています。

----

⑥ここに（装置の扱い方の説明）ます。

> 例
> ・ここにチューブを挿し込み、空気を供給して、バブルを発生させます。
> ・ここに人工雪を積もらせ、圧縮した空気を送ります。

▶手順を説明する

｛本研究／本調査／本実験｝では、まず、A を行いました。次に、B を行いました。そして、C をしました。

> 例
> ・本研究では、まず、使用者に対してアンケート調査を行いました。次に、年代ごとにインタビュー調査を行いました。そして、得られた結果を総合的に検討しました。
> ・本実験では、まず、バーナーで熱し、耐熱実験を行いました。次に、耐寒実験を行いました。そして、パイプの温度に対する耐久性を分析しました。

Ａさんは、外国人観光客が日本を訪れたとき、どのようなサービスを必要としているかについて、既に公表されている調査報告をもとに調べました。次は、その調査方法を発表している部分です。

 それでは、調査方法について説明します。今回は、こちらに示す４つの調査資料を用い、「不満だった点」「あると便利なサービス」「困った点」など、必要とするサービスに該当する部分を調べました。

2. 調査方法

● 4つの資料　該当部分に注目

株式会社日本政策投資銀行 (2014) 「アジア8地域・訪日外国人旅行者の意向調査」	国土交通省観光庁(2017) 「訪日外国人旅行者の国内における受け入れ環境整備に関するアンケート」
国土交通省観光庁(2013) 「訪日外国人の消費動向」 平成25年7-9月期報告書	国土交通省観光庁(2016) 「訪日外国人の消費動向」 平成28年7-9月期報告書

4

Note 3　調査や実験項目を述べるとき　文から名詞句への変換

　インタビュー調査やアンケート調査の際、「いつもどこで買っていますか」「どうしてこの商品を選んだんですか」というように聞きますが、それを調査の項目として説明するときには、簡潔な言い方（名詞句）に換えます。例えば、Ａの文は、Ｂのようにすることができます。

　　A. いくらで買ったのか。　　→　B. 購入価格
　　　　どこで買ったのか。　　　→　　 購入場所
　　　　どうしてこれを選んだのか。→　　 選択理由

　そして、発表のときには、次のように言うことができます。
・インタビューの内容は、購入価格、購入場所、選択理由などについてです。
・インタビューでは、購入価格、購入場所、選択理由などについて尋ねました。

次の①〜⑥の簡潔な言い方を考えましょう。（解答例はページ下にあります。）

　　①どうして興味を持ちましたか。　　　　　　　→　＿＿＿＿＿＿＿＿＿＿

　　②毎日どのくらいインターネットをしていますか。→　＿＿＿＿＿＿＿＿＿＿

　　③学校に来るのにどのくらい時間がかかりますか。→　＿＿＿＿＿＿＿＿＿＿

　　④教育方法についてどのように考えているか。　→　＿＿＿＿＿＿＿＿＿＿

　　⑤何歳ごろからこのような練習を始めたんですか。→　＿＿＿＿＿＿＿＿＿＿

　　⑥必要があると思いますか、ないと思いますか。→　＿＿＿＿＿＿＿＿＿＿

解答例：①興味を持った理由、②インターネットの使用時間、③通学時間、④教育方法に対する考え方／意識、⑤練習の開始時期／年齢、⑥必要の有無

第6課 研究発表（3）

本論—データが1つの場合の結果および考察—

学習目標	→ 学習後に Check
調査や実験で得られた結果と考察を説明する際に必要な項目と内容を理解する。	☐
調査や実験の結果と考察を説明する際に用いられる日本語表現を覚える。	☐

◎結果および考察について説明する

　調査や実験で得られた結果とその考察について述べる部分は、発表において最も重要な部分です。結果からどのような考察が導き出されたのかを説明します（図 6-1）。

1. 得られた結果の提示

　調査や実験を行ってどのような結果が得られたか、事実を客観的に述べることが大切です。その際、結果を図や表にまとめて示すことが多いですが、聞き手はその図表を初めて見るので、簡単に見方を説明したほうがよいでしょう。

　また、説明の際、図表にある全ての数値を読み上げる必要はありません。まず、全体的な傾向や特徴を伝え、明らかにしたい課題に関連した部分や注目したい点について説明すると理解しやすいでしょう。

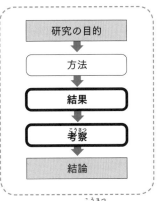

図 6-1　結果と考察の位置づけのイメージ

2. 考察：結果に対する解釈や見解の説明

　考察では、調査や実験から得られた数値やインタビューなどのデータをどのように受け止め、目的に対する答えをどのように考えたか（解釈や見解）を説明します。結果についての説明は誰が行ってもあまり大きな違いはありませんが、その解釈や見解は人によって異なることもあります。結果をどのように捉えたのか、自分の考えをわかりやすく伝えましょう。

43

考えを述べる際、それは全て客観的なデータに基づいたものでなければなりません。テレビやインターネットで見たり聞いたりしただけの根拠のない情報を加えてはいけません。

最後に考察部分をまとめ、「序論・本論・結論」の結論部分へとつなげます。

タスク1 次の例を参考に、（1）～（3）の結果および考察部分の説明を考えましょう。

例）日本人男性の睡眠時間の特徴を知りたい。

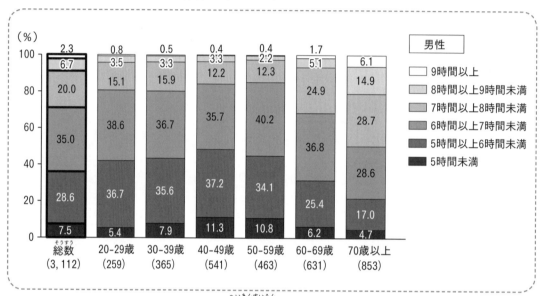

図6-2　1日の平均睡眠時間（男性、年代別）

厚生労働省「平成29年国民健康・栄養調査結果の概要」p. 25　https://www.mhlw.go.jp/content/10904750/000351576.pdf
（2020年3月12日閲覧）

結果

・全体的な傾向

　最も割合が多いのは、6時間以上7時間未満の睡眠を取る人で35％を占めています。次に多いのは、5時間以上6時間未満であり、この2つで6割を超えています。

・注目すべき点

　40代と50代では、睡眠時間が5時間未満と回答した人がそれぞれ11.3％、10.8％と、他の年代より多い結果になっています。一方で、60代では6時間以上の睡眠を取る人が68.5％、70代では78.3％と、長めの睡眠時間を取る人が多い傾向が見られます。

考察

　この結果から、職場で課長や部長の役職に就く年代の40代、50代は仕事が忙しいため、睡眠時間が短いのではないかということがうかがえます。そして、定年を迎える60代以降は、仕事から解放され、十分な睡眠時間が確保できるため、睡眠時間も他の年代より長くなるのではないかと考えられます。

・まとめ

　日本人男性全体では、6時間以上7時間未満の睡眠を取る人が多いものの、役職に就く40代、50代では睡眠時間を削って仕事を行っている可能性が考えられます。そして、定年を迎えた後は、睡眠時間を十分に取った生活を送っていると思われます。

（1）外国人旅行者の日本でのお金の使い方を知りたい。

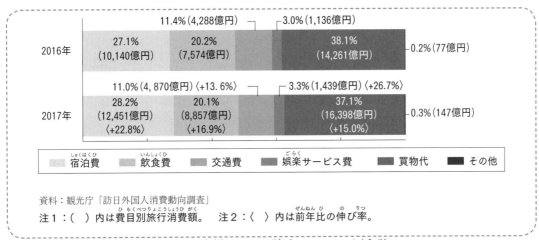

図 6-3　費目別にみる訪日外国人旅行消費額

国土交通省観光庁「平成 30 年版　観光白書」p. 14　http://www.mlit.go.jp/common/001260951.pdf（2020 年 3 月 12 日閲覧）

結果	考察
・全体的な傾向	
・注目すべき点	・まとめ

（2）日本の化石エネルギー依存度の特徴を明らかにしたい。

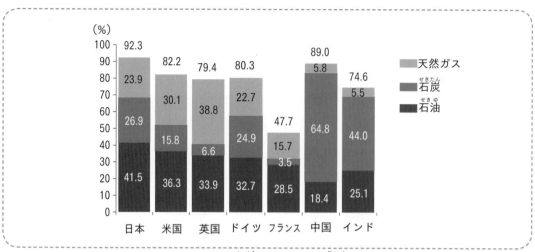

図 6-4　主要国の化石エネルギー依存度（2016）

経済産業省資源エネルギー庁「平成 30 年度エネルギーに関する年次報告（エネルギー白書　2019）」p. 109
https://www.enecho.meti.go.jp/about/whitepaper/2019pdf/（2020 年 3 月 12 日閲覧）

結果	考察
・全体的な傾向	
・注目すべき点	・まとめ

（3）放送コンテンツの海外輸出の傾向を考えたい。

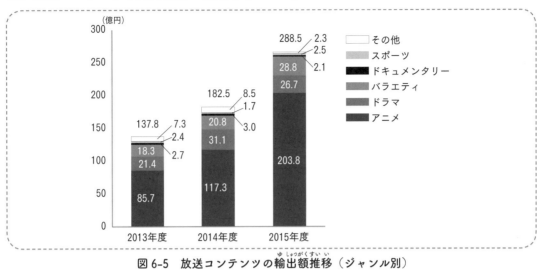

図 6-5　放送コンテンツの輸出額推移（ジャンル別）

総務省情報通信政策研究所「放送コンテンツの海外展開に関する現状分析（2015 年度）」p. 2
https://www.soumu.go.jp/main_content/000477810.pdf（2020 年 3 月 12 日閲覧）

結果	考察
・全体的な傾向 ・注目すべき点	 ・まとめ

タスク2 タスク1（1）～（3）から1つ選び、発表しましょう。的確にわかりやすく説明できたか、聞き手にコメントをもらいましょう。

話した番号 （　　　）	もらったコメント

日本語表現7 ▶ 図表の見方や結果について述べる

▶図表の見方を説明する

①{図1／表1／こちら}はAを{表した／示した}ものです。

> **例**　・図1は大学生の1週間の読書量を表したものです。
> ・こちらは1日の平均睡眠時間を示したものです。

---

②Aについて表したものが{図1／表1／こちら}です。

> **例**　・大学生の1週間の読書量について表したものが図1です。

---

③縦軸はAを表しています。横軸はBを表しています。

> **例**　・縦軸は温度を表しています。横軸は時間を表しています。

---

④縦軸はA、横軸はBです。

> **例**　・縦軸は温度、横軸は時間です。

▶結果を説明する

①{全体的に／（特定の部分）については}、（特徴の説明）という結果が得られました。

> **例**　・全体的に、アニメが海外輸出に占める割合は高いという結果が得られました。
> ・20代女性については、価格を最も重視して選んでいるという結果が得られました。

---

②（種別）では、（結果の説明）という結果になりました。

> 例 ・地域別では、Aが60.5％、Bが23.8％、Cが14.5％という結果になりました。

----

③（項目）については、（結果の説明）という〔傾向／特徴〕が見られました。

> 例 ・旅行時の不満については、言語の面での不満が多いという傾向が見られました。
> ・40代については、睡眠時間が短い人が多いという特徴が見られました。

日本語表現8 ▶ 考察したことについて述べる

① 〔この／Aという〕結果から、（判明内容）が ┌ わかりました。
　　　　　　　　　　　　　　　　　　　　　　　推測されます。
　　　　　　　　　　　　　　　　　　　　　　└ うかがえます。

> 例 ・この結果から、20代女性向けの商品開発には、低価格での商品提供が重要であることがわかりました。
> ・価格を最も重視しているという結果から、この年代の収入が大きく関係していることが推測されます。
> ・価格を最も重視しているという結果から、コストパフォーマンスを考え選んでいる様子がうかがえます。

----

② Aの結果、（結果説明）しており、（判明内容）がわかります。

> 例 ・調査の結果、留学生が知っている企業名は非常に限られており、持っている情報が十分でないことがわかります。
> ・実験の結果、金属の断面には多数の穴が開いており、この方法により、空洞を持つ金属ができたことがわかります。

----

③ このような結果となった原因としては、Aが考えられます。

> 例 ・このような結果となった原因としては、20代の給与はまだあまり高くないことが考えられます。

----

④ 原因の1つとしては、Aという可能性が考えられます。

> 例 ・原因の1つとしては、留学生はテレビやインターネットからしか企業の情報を得ていないという可能性が考えられます。

⑤（結果の状況）は、（原因）したためと考えられます。

例 ・金属の上のほうに穴が多く見られるのは、泡が浮き上がったためと考えられます。

日本語表現9 ▶ 考察をまとめる

① （研究方法）により、┌ Ａという結論が得られました。
                    │ Ａということが明らかとなりました。
                    └ Ａを確認しました。

例 ・アンケート調査により、年代により重視する観点が異なり、20代女性には、価格
    に注目した商品の提供が最も重要であるという結論が得られました。
  ・2つの資料を検討することにより、外国人観光客が必要としているのはインター
    ネットからの情報であるということが明らかとなりました。
  ・今回の超音波によるマイクロバブルを用いた実験により、金属内に気泡が発生し
    ていることを確認しました。

② ┌ このような点から、┐ （課題）は、（結論）と ┌ 思われます。
  │ これらのことから、│   │ 考えられます。
  └ 以上のことから、 ┘   └ 言えます。

例 ・このような点から、売り上げを伸ばすには、年代に応じて商品をアピールする観
    点を変えていくことが必要であると思われます。
  ・これらのことから、外国人観光客の受け入れ拡大については、多言語に対応した
    インターネット情報の充実が求められていると考えられます。
  ・以上のことから、気孔を持つ金属材料の製造には、マイクロバブルを用いた方法
    が有効であると言えます。

Ａさんは、外国人観光客が日本を訪れたとき、どのようなサービスを必要としているかについて、既に公表されている調査報告をもとに調べました。次は、その結果と考察を発表している部分です。

 　表1をご覧ください。これは日本政策投資銀行がアジア8地域の旅行者を対象に行った調査です。不満だった点について、初めて来日した人と複数回経験がある人とに分けて分析しています。

　全体の結果としては、英語や母語が通じないことなど、言葉の面での不満が来日回数を問わず、多く見られます。地域別では、やはりシンガポールや香港などの人が英語が使えないことに対し、非常に不満に思っていることがわかります。このことから、インフォメーションセンターなどはもちろんのこと、日本人自身の英語力も高める必要があると言えるかもしれません。

　言葉のほかには、旅行代金や、遊びに関する項目が続いています。

　この調査から、外国人観光客が求めている情報・サービスには、観光客により若干の違いはあるものの、英語、そして、観光客の母語での対応や、楽しめる遊びの要素が強く必要とされていることが明らかとなりました。

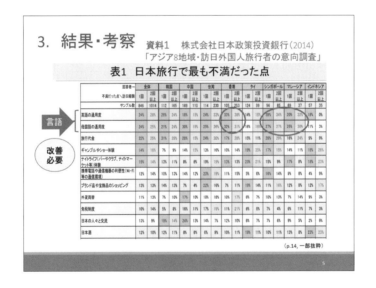

Note4　図表を説明するときによく用いられる表現

図表を説明するときによく用いられる表現を覚えましょう。

Ⓐ **割合**

・Wが全体の約4割を占めています。
・WとXで過半数を占める結果となりました。

Ⓑ **推移**

・2014年から2016年に｛急激な／著しい｝伸びを見せました。
・2014年から2016年に｛急激に／著しく｝増加しました。（⇔減少しました）
・2018年以降｛横ばいで／一定で｝推移しています。
・2016年以降、大きな変化は見られません。
・〜は、2008年以降｛増加する一方です／増加の一途をたどっています｝。
・2016年に500人に達しました。

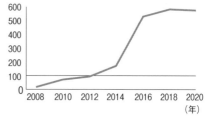

Ⓒ **比較**

・2000年にWはXを上回っています。（⇔下回っています）
・2005年にWはXの2倍の伸びを見せました。
・2005年にWはXよりも大きな伸びを見せました。
・2015年以降XはWと｛比べて／比較して｝、大きな変化は見られません。

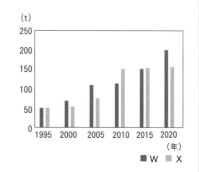

Ⓓ **全体の傾向**

・宿泊費を重視する傾向が見られました。
・全体的に1週間程度滞在する場合が多く見受けられました。

第 7 課　研究発表（4）

本論—データが複数の場合の結果および考察—

学習目標	→ 学習後に Check
調査や実験で得られた複数の結果を総合的にまとめる際に必要な項目と内容を理解する。	☐
調査や実験で得られた複数の結果を総合的にまとめる際に用いられる日本語表現を覚える。	☐

1. 複数の調査や実験から構成される研究について説明する

　この課では、複数の調査や実験から総合的に結論を導く研究発表を扱います。図 7-1 に示すように、研究で明らかにしたいことを調べるために、いくつかの調査や実験を行い、最後に最終的な結論を出すという形式のものです。まず、それぞれの調査や実験について研究の目的、方法、結果と考察を述べ、最後に、総合的に考察をまとめます。

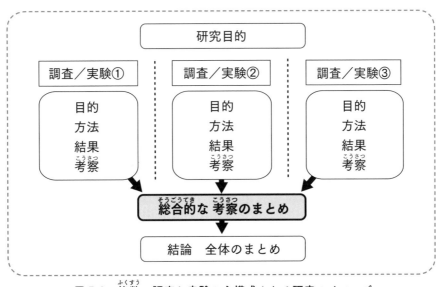

図 7-1　複数の調査や実験から構成される研究のイメージ

2. 複数の結果から結論を導き出す意味

　いくつかのデータを複合的に見ると、見えなかったものが見えてきます。例えば、図A、図B、図Cが1つの同じ物体を表したものだとすると、この物体はどのような形をしていると推測しますか。

図A　上から見た図　　　図B　横から見た図　　　図C　下から見た図

　答えは図Dのような円すい形ですが、これは3つのデータを複合的に見て初めて判断できることです。これと同じように、複数のデータを収集し、問題を解明しようとするときは、それぞれのデータからわかることに基づいた上で、総合的に判断することが必要です。

図D　円すい形

 次の例を参考に、複数のデータを分析し、総合的な考察のまとめまでを考えましょう。

例）日本人の睡眠時間の特徴を知りたい。

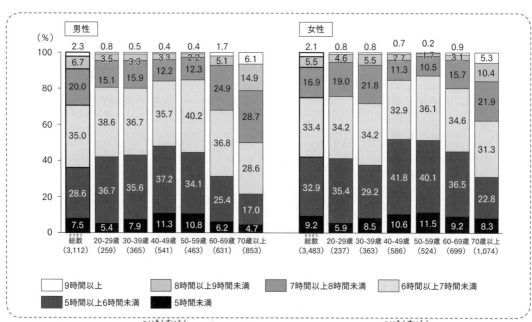

図7-2　1日の平均睡眠時間（男性）　　　図7-3　1日の平均睡眠時間（女性）

厚生労働省「平成29年国民健康・栄養調査結果の概要」p. 25
https://www.mhlw.go.jp/content/10904750/000351576.pdf（2020年3月12日閲覧）

図 7-2

結果

　総数のデータで、最も割合が多いのは、6時間以上7時間未満となっています。年代別に見ると、40代と50代では5時間未満の人が他の年代より多く、また、60代以降では7時間以上の長い睡眠時間を取っている人も多いという特徴が見られました。

考察

　40代、50代に睡眠が5時間未満の人が多いのは、職場で課長や部長などの役職に就いており、仕事が忙しいという可能性が考えられます。また、60代以上の人の睡眠が長いのは、定年を迎え、時間に余裕があるという理由が推測されます。

・まとめ

　6時間以上7時間未満の睡眠を取っている人が最も多いですが、職場での仕事が睡眠時間にも大きな影響を及ぼしていると考えられます。

図 7-3

結果

　総数のデータでは、6時間以上7時間未満の人が多いですが、5時間以上6時間未満の人との差は0.5％とわずかです。40代、50代の人の半数以上は睡眠時間が6時間未満であるという結果になりました。

考察

　40代、50代の人の睡眠時間が短い原因としては、女性が仕事もしながら家事もしなければならない状態にあることが推測されます。そのために、寝る時間を惜しんで2つのことを両立させようとする様子がうかがえます。

・まとめ

　5時間以上6時間未満と6時間以上7時間未満の睡眠を取っている人がほぼ同じ割合で多くなっています。特に、40代と50代の世代は睡眠時間を削って、仕事と家事を行っている状況が考えられます。

総合的な考察のまとめ

　総数から見た平均睡眠時間は、男女とも6時間以上7時間未満が最も多いことがわかりました。しかし、年代別に見ると、男性は40代および50代に睡眠時間が短い傾向があります。これは職場で責任ある仕事に就く年代であることと関係があると思われます。一方、女性の場合も、40代から50代では6時間未満が半数以上であり、睡眠時間が短い傾向が顕著に見られます。これは仕事をしながら家事も行うために睡眠時間を削って対応していることが推測されます。

　以上のことから、日本人の睡眠時間は仕事や家事に大きく影響を受けていると考えられます。

（1）外国人旅行者の日本でのお金の使い方を調べたい。

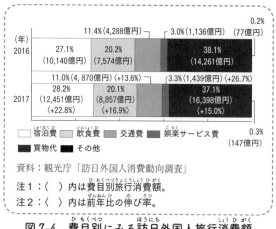

資料：観光庁「訪日外国人消費動向調査」

注1：（　）内は費目別旅行消費額。

注2：〈　〉内は前年比の伸び率。

図7-4　費目別にみる訪日外国人旅行消費額

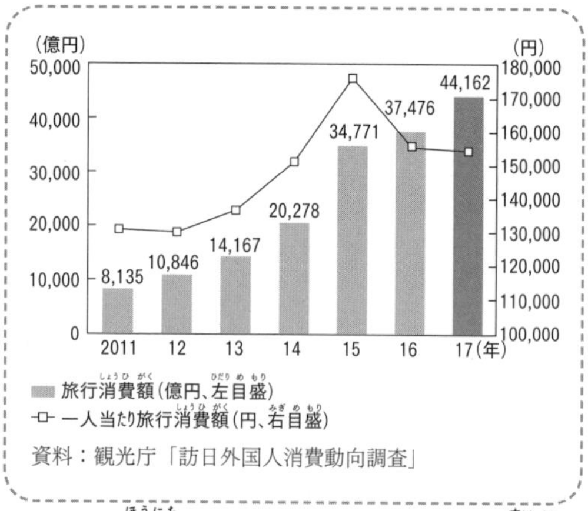

図7-5　訪日外国人旅行者による消費の推移

国土交通省観光庁「平成30年版　観光白書」図7-4 p. 14, 図7-5 p. 13　http://www.mlit.go.jp/common/001260951.pdf
（2020年3月12日閲覧）

図7-4	図7-5
結果	結果
考察	考察
・まとめ	・まとめ

総合的な 考察のまとめ

(2) 日本の化石エネルギー依存度の特徴を明らかにしたい。

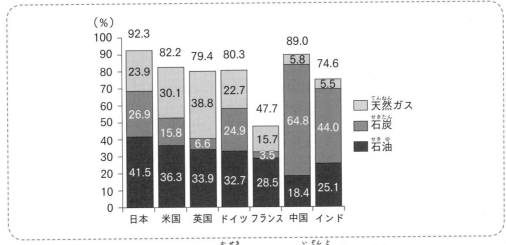

図7-6　主要国の化石エネルギー依存度（2016 年）

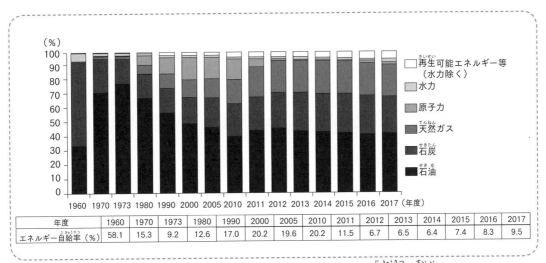

年度	1960	1970	1973	1980	1990	2000	2005	2010	2011	2012	2013	2014	2015	2016	2017
エネルギー自給率（％）	58.1	15.3	9.2	12.6	17.0	20.2	19.6	20.2	11.5	6.7	6.5	6.4	7.4	8.3	9.5

図7-7　日本の1次エネルギー国内供給構成および自給率の推移

経済産業省資源エネルギー庁「平成 30 年度エネルギーに関する年次報告（エネルギー白書 2019）」
図 7-6 p. 109, 図 7-7 p. 110　https://www.enecho.meti.go.jp/about/whitepaper/2019pdf/（2020 年 3 月 12 日閲覧）

第7課

研究発表
（4）

図 7-6

結果

考察^{こうさつ}

・まとめ

図 7-7

結果

考察^{こうさつ}

・まとめ

総合的な^{そうごうてき} 考察^{こうさつ}のまとめ

58

（3）日本のアニメの海外輸出の傾向を知りたい。

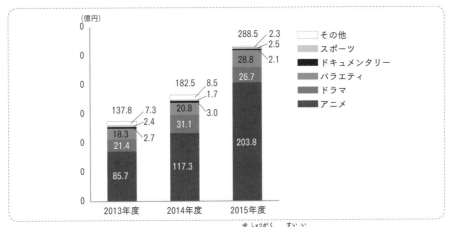

図 7-8　放送コンテンツの海外輸出額の推移（ジャンル別）

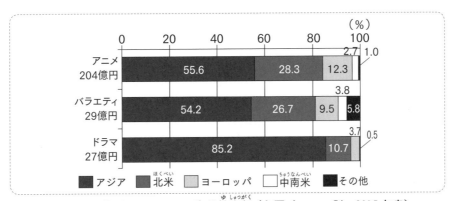

図 7-9　放送コンテンツの海外輸出額（主要ジャンル別　2015 年度）

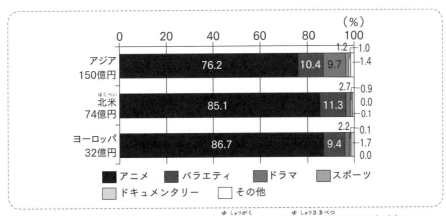

図 7-10　放送コンテンツの海外輸出額（主要輸出先別　2015 年度）

総務省情報通信政策研究所「放送コンテンツの海外展開に関する現状分析（2015 年度）」図 7-8 p. 2, 図 7-9 p. 10, 図 7-10 p. 9
https://www.soumu.go.jp/main_content/000477810.pdf（2020 年 3 月 12 日閲覧）

第 **7** 課

研究発表
（4）

図7-8	図7-9	図7-10
結果	結果	結果
考察 （こうさつ）	考察 （こうさつ）	考察 （こうさつ）
・まとめ	・まとめ	・まとめ

総合的な 考察のまとめ
（そうごうてき　こうさつ）

タスク 2 タスク1（1）〜（3）から1つ選び、それぞれの結果から総合的な考察の（そうごうてき　こうさつ）まとめまでを発表しましょう。的確にわかりやすく説明できたか、聞き手にコメントをもらいましょう。

話した番号 （　　　）	もらったコメント

日本語表現10 ▶ 総合的な考察のまとめについて述べる

> これらの結果から、
>
> 以上の結果から、
>
> 以上をまとめると、
>
> （課題）については、
>
> A ということが {わかります。／言えると思います。}
>
> A という結論が得られると思います。
>
> A と結論づけることができると思います。

例

・これらの結果から、新商品の販売については、年齢別の戦略が必要だということが言えると思います。

・以上の結果から、外国人観光客の受け入れについては、外国語対応と通信環境の整備が急務だという結論が得られると思います。

・以上をまとめると、本研究で生成した金属については、防音材への応用が可能であると結論づけることができると思います。

発表例 その4 movie【no.6】

A さんは、外国人観光客が日本を訪れたとき、どのようなサービスを必要としているかについて、既に公表されている調査報告をもとに調べました。次は、複数のデータをもとに分析した結果と考察について発表している部分です。

❖　　　　　❖　　　　　❖

第6課（p. 51）で扱った部分

 スライド 5

　表1をご覧ください。これは日本政策投資銀行がアジア8地域の旅行者を対象に行った調査です。不満だった点について、初めて来日した人と複数回経験がある人とに分けて分析しています。

　全体の結果としては、英語や母語が通じないことなど、言葉の面での不満が来日回数を問わず、多く見られます。地域別では、やはりシンガポールや香港などの人が英語が使えないことに対し、非常に不満に思っていることがわかります。このことから、インフォメーションセンターなどはもちろんのこと、日本人自身の英語力も高める必要があると言えるかもしれません。

　言葉のほかには、旅行代金や、遊びに関する項目が続いています。

　この調査から、外国人観光客が求めている情報・サービスには、観光客により若干の違いはあるものの、英語、そして、観光客の母語での対応や、楽しめる遊びの要素が強く必要とされていることが明らかとなりました。

❖　　　　　❖　　　　　❖

次に、観光庁が定期的に行っている訪日外国人の消費動向から「日本滞在中にあると便利な情報」について2013年と2016年の同時期7月から9月について比較してみました。図1と図2をご覧ください。

　縦軸は「あると便利だ」と思う情報、横軸は割合を表しています。「あると便利だ」ということは、すなわち、現在はそのような情報は提供されていないということになります。2013年では、交通手段が60.3%と圧倒的に多い結果となっています。しかし、これが2016年になると、2013年の図にはなかった「無料Wi-Fi」が51.3%と、「交通手段」を上回っています。これは、2013年からの数年でスマートフォンが急速に普及したことを示していると考えられます。しかし、それにまだ観光地の対応が追いついていないことがうかがわれます。そのほかとしては、3番目に飲食店、そして、宿泊施設、買い物の場所、観光施設と続きます。

　この結果から、現在、日本を訪れる外国人観光客は、まず、情報をスマートフォンから得ようとしていることがわかります。また、目的地までの移動に関する交通手段についても必要としていることがわかりました。外国人観光客の1つの傾向として、行きたい場所の情報を自分のスマートフォンで調べ、自分たちで移動しようとする人が多いということが推測されます。しかし、現在はこの点に関する情報やサービスが対応できていないと考えられます。

　その次に多い、「飲食店、宿泊施設、買い物の場所、観光施設」は、観光旅行の大きな目的である「おいしいものを食べる、おみやげを買う、有名な場所を見る」を表すもので、重要ですが、この点についても外国人への情報はまだ改善する必要がありそうです。

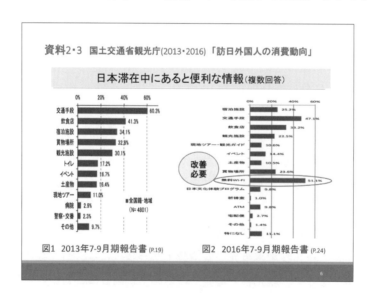

こちらの図はさきほどと同じ観光庁の調査ですが、これは特に、外国人旅行者の受け入れ環境整備を目的に調べたものです。ここでは旅行中に困ったことについて尋ねています。

向かって左は複数回答、右は最も困ったものを1つだけ答えています。

その結果、困ったこととして最も多かった回答は、どちらの回答形式でも施設などのスタッフとコミュニケーションが取れないというものでした。これは、英語をはじめとする言葉が通じないことを意味していると思われ、意思の疎通に苦労する様子がうかがわれます。3番目に多かった多言語表示の少なさについても、言葉に関するサービスが不十分であることを示しています。

2番目には、無料公衆無線LAN環境が挙げられました。この結果は、ここまで挙げた調査結果と同様の結果を示しています。

以上、4つの調査資料をまとめると、外国人旅行客が特に必要としているサービスは、無料公衆無線LANと、言語サービスであると結論づけることができると思います。

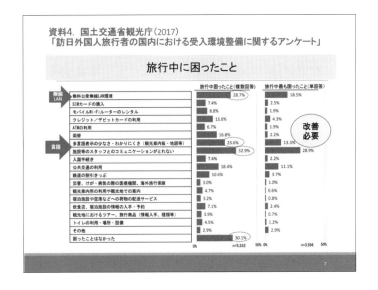

第7課

研究発表
（4）

63

第 8 課　研究発表（5）

結論―全体のまとめ―

学習目標	→学習後に Check
結論を述べ、最後に発表をしめくくる際に必要な項目と内容を理解する。	☐
発表の結論、反省点、今後の課題を述べる際に用いられる日本語表現を覚える。	☐

1. 発表のまとめ

　発表の最後には、研究の目的に対して、何を行い、その結果、どのような結論や成果が得られたのかについて簡潔にまとめ、説明します。さらに、今回の研究を振り返ったときの反省点や不十分だった点、今後に向けた課題についても述べて、最後は聞き手への感謝でしめくくります。

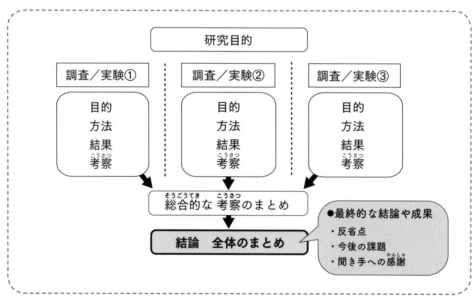

図8-1　まとめ部分のイメージ

2. 反省点と今後の課題

　完璧な結果が得られた研究というものは少ないものです。調査や実験の方法に改善すべき点はなかったか、うまくいかなかった場合にはどこに問題があったのか、自分で振り返ることが重要です。自分でよく反省していれば、もし、質疑応答の際に不十分な点に関する質問が来ても、慌てることなく対応することができるでしょう。逆に、質問者に研究の改善点について、コメントやアイデアを求めることも可能かもしれません。そして、反省点の後に今後行うべき課題を述べます。

3. 聞き手への感謝

　発表を終了する際には、発表を聞いてくれた人に感謝を述べましょう。その際には、場所や場面を考えて言葉を選ぶことが大切です。

a. 日常の授業での発表：

　例）研究室で毎週行われる報告会、ゼミの輪講や輪読での発表

　　　「ありがとうございました。」

b. 改まった場面での発表：

　例）卒業研究発表会や学会での発表

　　　「ご清聴、ありがとうございました。」

 タスク 1　　次の（1）（2）を考えましょう。

(1)「まとめ」の部分で言うべきことを a.〜h. から選びましょう。不要なものもあるので、注意すること。

　　　a. 得られた結果からわかったこと

　　　b. 研究を振り返って、大変だったことやうれしかったことなどの感想

　　　c. 研究の目的に対して、何を行ったか

　　　d. 聞き手へのお礼

　　　e. 先行研究との関連の有無

　　　f. 今回の研究でできなかったことや、不十分だったこと

　　　g. 今後、同じような研究を行う人へのアドバイス

　　　h. 今後、研究するときには行うべきだと思うこと

(2)（1）で選んだものについて、どのような順序で述べればよいか、並べてください。

　　　　　c. ⇒ 　　　　　　⇒ 　　　　　　⇒ 　　　　　　⇒

タスク 2 ┃ タスク1で考えたことを話し合いましょう。意見が分かれたときには、どのような理由で選んだのか、お互いに説明しましょう。

日本語表現 11 ▶ 「まとめ」の開始を述べる

では、 ［ まとめます。／まとめに入ります。／まとめに移ります。／まとめです。 ］

日本語表現 12 ▶ 研究方法を振り返る

①本研究では、(対象)に対し、{分析／調査／観察} を行いました。

> 例
> ・本研究では、購入者に対し、性別と購入機種とのクロス分析を行いました。
> ・本研究では、ベトナム人女性100名に対し、アンケート調査を行いました。
> ・本研究では、小学生に対し、半年間の観察を行いました。

---

②本研究では、(方法)により、Aの {開発／生成／製造} を行いました。

> 例
> ・本研究では、全方向駆動歯車の応用により、小型災害ロボットの開発を行いました。
> ・本研究では、超音波発生装置でマイクロバブルを金属中に発生させることにより、気孔のある金属の生成を行いました。
> ・本研究では、新発酵法により、ワインの試験的製造を行いました。

---

③本研究では、(対象){について／に関する}(方法)を行いました。

> 例
> ・本研究では、プログラム実施の成果について検証を行いました。
> ・本研究では、外国人観光客に関する資料の比較検討を行いました。

日本語表現 13 ▶ 成果や結論を述べる

①その結果、(成果)に成功（せいこう）しました。

> **例**
> ・その結果、気孔（きこう）を有（ゆう）する金属（きんぞく）の生成（せいせい）に**成功**しました。
> ・その結果、装置（そうち）の小型化（こがたか）に**成功**しました。

---

②その結果、

$$\left[\begin{array}{c} 以下のこと \\ 以下の（重要点の数）点 \end{array}\right] が \left[\begin{array}{c} わかりました。 \\ 判明（はんめい）しました。 \\ 明（あ）らかになりました。 \end{array}\right]$$

> **例**
> ・その結果、以下のことが**判明**（はんめい）しました。
> ・その結果、以下の 3 点が**明**（あ）らかになりました。

---

③（研究課題）{に関して／について}、結論としては、次のようにまとめることができます。

> **例**
> ・外国人観光客受け入れの問題点**に関して**、**結論としては、次のようにまとめることができます。**
> ・超音波（ちょうおんぱ）マイクロバブルを用（もち）いた気孔（きこう）のある金属（きんぞく）の生成（せいせい）**について**、**結論としては、次のようにまとめることができます。**

---

④その結果、(研究課題)は、(結論)ということが

$$\left[\begin{array}{c} わかりました。 \\ 判明（はんめい）しました。 \\ 明（あ）らかになりました。 \end{array}\right]$$

> **例**
> ・その結果、化粧品（けしょうひん）に対する購入選択（こうにゅうせんたく）の要因には、価格（かかく）とブランドイメージが大きく影響（えいきょう）している**ということがわかりました。**
> ・その結果、外国人観光客が求めているサービス**は**、言語とインターネットによる情報の充実（じゅうじつ）である**ということが明**（あ）らかになりました。

研究発表 (5)

67

反省点と今後の課題を述べる

▶今回の反省

①しかし、今回は（不十分な点）することができませんでした。

例　・しかし、今回は十分なサンプル数を得ることができませんでした。

②しかし（反省点）の点で、まだ十分と言える結果が得られませんでした。

例　・しかし安定性の点で、まだ十分と言える結果が得られませんでした。

③しかし、（不十分な点）に {ついて／関して} は、Ａする必要があると {思われます／考えられます}。

例　・しかし、国や世代ごとの特徴については、さらに分析を進める必要があると思われます。

▶今後の課題

①この点については今後の課題としたいと思います。

②今後の課題は、Ａすることです。

例　・今後の課題は、サンプル数を増やすことです。
　　・今後の課題は、明らかになった選択要因を取り入れた商品開発を行うことです。

③今後はこの点について（今後の予定）{したい／していきたい} と思います。

例　・今後はこの点についてより詳細な分析を行いたいと思います。
　　・今後はこの点についてさらに性能を改善していきたいと思います。

日本語表現15 発表を終了する

① {以上で／これで}、発表を終わります。

②発表は以上です。

日本語表現 16 ▶ 聞き手への感謝を述べる

① ありがとうございました。

- -

② ご清聴、ありがとうございました。

 発表例 その5 movie【no.7】　Aさんは、外国人観光客が日本を訪れたとき、どのようなサービスを必要としているかについて、既に公表されている調査報告をもとに調べました。次は、結論部分について発表しています。

スライド ⑧　では、まとめに移ります。今回は、4つの資料を用いて、外国人観光客が日本で必要とするサービスについて検討しました。その結果、近年、来日する外国人観光客は Wi-Fi を使用して、自分たちで情報を探し、観光地を訪れる傾向が強いことが推測されました。また、観光の主な目的と思われる「見る、遊ぶ、おみやげを買う」についても、今は情報が十分な状況にあるとは言えず、言葉が通じないことに不満を持っていることが判明しました。

　これらの結果から、Wi-Fi の環境整備や、英語だけでなく、中国語や韓国語など、多く訪れる観光客の言語を考慮した対応が今以上に必要だということが言えると思います。

　今回の調査では、年代別の違いについては扱うことができませんでした。これは今後の課題としたいと思います。

4. まとめ

● 外国人観光客が日本で必要とするサービス

 ・無料公衆無線LANのサービス
　来日する外国人観光客はWi-Fiを使用し、情報収集

・言語（英語、中国語・韓国語）のサービス
　見る、遊ぶ、買い物の際、コミュニケーションの壁

● 今後の課題
　年代別によって必要とするサービスが異なるのかどうか

今回の発表に用いた資料は、ご覧のとおりです*。

*資料（参考文献リスト）のスライド作成については、第10課を参考のこと。

資料

分析資料

1.株式会社日本政策投資銀行 (2014)「アジア8地域・訪日外国人旅行者の意向調査」
　http://www.dbj.jp/pdf/investigate/etc/pdf/book1411_01.pdf（201x年x月x日閲覧）

2. 国土交通省観光庁(2013)「訪日外国人の消費動向」平成25年7-9月期報告書.
　http://www.mlit.go.jp/common/001017130.pdf（201x年x月x日閲覧）

3..国土交通省観光庁(2016)「訪日外国人の消費動向」平成28年7-9月期報告書.
　http://www.mlit.go.jp/common/001149546.pdf（201x年x月x日閲覧）

4. 国土交通省観光庁(2017)「訪日外国人旅行者の国内における受入環境整備に関するアンケート
　結果」http://www.mlit.go.jp/common/001171594.pdf（201x年x月x日閲覧）

参考資料

日本政府観光局 (2016)「統計データ（訪日外国人・出国日本人）」
　http://www.jnto.go.jp/jpn/statistics/visitor_trends/index.html （201x年x月x日閲覧）

9

 以上で発表を終わります。ありがとうございました。

ありがとうございました

10

Note 5　時間の調整

　発表を行っているときに、予定より残り時間が少なくなってしまった場合は、この「全体のまとめ」の部分で調整しましょう。時間が過ぎているのに、いつまでも話し続けるのは発表のマナーとしてよくありません。また、時間をオーバーすることは、聞き手との意見交換の場である、質疑応答の時間も削ってしまうことになります。一方的に話して、終わってしまうというのでは、聞き手からのフィードバックがもらえず、聞いてもらった意味がなくなります。時間がない場合には、予定どおりにスライドに書いてあることを最後まで読み上げて説明しようとはせずに、決められた時間内で終わるように工夫しなければなりません。その場で臨機応変に判断し、時間を調整することが必要です。具体的には、次のような対応が考えられます。

Ⓐ　スライドの該当箇所を示すだけにとどめる

・今後の課題はこちらに示すとおりです。

Ⓑ　スライドに書いてある一部を省略して説明する

・主な課題は、〜などです。

Ⓒ　レジュメ（ハンドアウト）もある場合には、それを見てもらうようにする

・具体的な例についてはお手元の資料をご覧ください。

第**9**課　発表スライド（1）

簡潔に示すための日本語の工夫

学習目標	→学習後に Check
日本語でのわかりやすいスライドの作り方について理解する。	☐
スライド作成においてよく使われる基本的な表現を覚える。	☐

1. スライド資料

　発表スピーチが音声により情報を伝えるのに対して、視覚的に情報を伝えるのがスライド資料です。発表する際には、この2つが有機的に働くことが大切です。視覚的面から情報を伝えるものがスライドなので、発表原稿をそのままスライドに貼りつけるのは望ましくありません。

2. 文体

　発表のスピーチは、「です・ます体」を使いますが、スライドでは「だ・である体」を使って書きます。発表のとき、そのままスライドを読んで「だ・である体」のまま言ってしまわないように、注意が必要です。

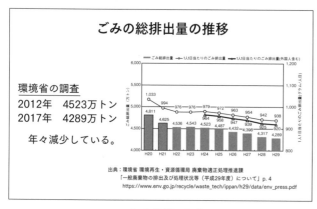

スライド例　9-1

こちらはごみの排出量の推移を表した図です。2012 年には 4,523 万トンでしたが、2017 年には、4,289 万トンになり、年々減少しています。

3. 箇条書きで見やすく

　長い文章をスライドで見せるのは、聞き手にとっては、「スライドを読んでください」と言われているようで、負担を感じることがあります。また、聞き手がスライドを読むことに集中してしまうと、肝心のスピーチを聞いていない恐れもあります。見てすぐに全体が把握できるように、スライド資料を視覚的に作りましょう。

　「手順」や「まとめ」など項目がいくつか並ぶときには、次のように箇条書きにするとわかりやすいです。

<table>
<tr><td>

研究方法

まず、購入者にアンケート調査をしました。次に、その人が購入した店の担当の人にインタビュー調査をしました。そして、結果を総合的に分析して、最後にベトナムの市場への進出の可能性を検討しました。

</td><td>

研究方法

1. 購入者にアンケート調査

2. 購入店の担当者にインタビュー調査

3. 結果を総合的に分析

4. ベトナム進出の可能性を検討

</td></tr>
<tr><td align="center">スライド例　9-2　（悪い例）</td><td align="center">スライド例　9-3　（良い例）</td></tr>
</table>

4. スライドでよく使われる表現

　スライドを作成するときに、次のような書き方をします。

（1）名詞化

動詞の部分を名詞に言い換えて、簡潔にします。

　　　①留学生を受け入れます　→　留学生の受け入れ

　　　②計画を見直します　　　→　計画の見直し

　　　③化学合成を研究します　→　化学合成の研究

　　　④急激に発展しました　　→　急激な発展

（2）漢語

　専門的な発表では、漢語（漢字の熟語）が多く使われます。また、漢語を使うと少ない文字数で表すことができるという利点もあります。

　　　①開発が進んでいます　→　開発の進行／開発が進行

　　　②人口が減っています　→　人口の減少／人口が減少

　　　③被害が広がりました　→　被害の拡大／被害が拡大

④自動運転が始まりました　→　自動運転の開始／自動運転が開始
⑤問題は深刻になってきました　→　問題の深刻化／問題が深刻化

（3）マークのように扱うもの

「多い、少ない、大きい、小さい」といった言葉は、「多」「少」「大」「小」と1文字で
マークのように表すこともあります。また、「最も多い」「最も大きい」は「最多」「最大」
と表されます。

①男性の参加者が多い　→　男性の参加者　多

②30代の女性が最も多いことがわかりました　→　30代の女性　最多

③家賃が高いのはやはり東京でした　→　家賃　東京　高

タスク1　スライドを作成する際に、あなたが日頃、気をつけていることは何ですか。

タスク2　タスク1で考えたことについて話し合いましょう。

タスク3　次の①〜⑦の文をスライドに簡潔に書きたいとき、どのように書くのがよいか、考えましょう。

①技術は急速に進歩しました。　→　＿＿＿＿＿＿＿＿＿＿＿＿＿

②改善が必要です。　→　＿＿＿＿＿＿＿＿＿＿＿＿＿

③手続きが終わりました。　→　＿＿＿＿＿＿＿＿＿＿＿＿＿

④治療_{ちりょう}に役立つ物質が発見されました。　→　_____

⑤だんだん悪くなってきました。　　　　→　_____

⑥申し込_こみをする期間が延_のびました。　　→　_____

⑦2040年までに実用化される予定です。→　_____

 **タスク 4**　次の（1）〜（3）のスライドを視覚的_{しかくてき}にわかりやすく書き直しましょう。

（1）

発表の際に忘れてはならない物には、USB に入れた発表
データ、話す内容はだいたい覚えていくとしても万一のた
めに備_{そな}えておく発表メモまたは発表原稿_{げんこう}、説明している箇
所_{しょ}を示_{しめ}すためのポインター、発表時間を把握_{はあく}するための時
計、質疑応答_{しつぎおうとう}のときに相手の質問をメモするためのペンと
ノートなどがある。

工夫_{くふう}した点

_____

_____

_____

_____

_____

_____

(2)

今回の実験から、赤やオレンジなどの暖色は開放感を与え、青緑や青などの寒色は緊張感をもたらすことがわかった。このことから色は人の感情に影響を与えていることが判明し、さらには、食欲にも影響を与える可能性があることが推測された。

参考：日本水産「おいしさを科学する　ヒトは目で味わう」
（2016 年 12 月 20 日閲覧）

工夫した点　　↳

_____
_____
_____
_____
_____
_____

(3)

日本は急速に高齢化が進んでいる。
内閣府の調査では、2045 年に日本の中で 65 歳以上の高齢者が占める割合が最も多いのは秋田県である。その割合は 50.1% と予測されている。

参考：内閣府「令和元年版高齢社会白書」
https://www.8.cao.go.jp/kourei/whitepaper/w-2019/html/zenbun/
s1_1_4.html
（2020 年 4 月 1 日閲覧）

工夫した点　　↳

_____
_____
_____
_____
_____
_____

タスク 5 タスク4で作成したスライドを見せ、コメントをもらいましょう。

第10課　発表スライド（2）

情報の示し方

学習目標	→学習後に Check
視覚的に理解しやすいスライドについて考える。	☐
他の人のデータを使用する際の注意点やマナーを理解する。	☐
第9課と第10課で学んだことを用い、スライド資料を作成する。	☐

1. 発表資料作成のツールおよびスライドのデザイン

　スライドを作成するプレゼンテーションソフトにはMicrosoft PowerPointやPreziなどいくつか種類があります。それらのソフトには、さまざまなスライドデザインが用意されています。アカデミック・プレゼンテーションを行う場合には、かわいいスライドや派手なスライドではなく、発表の目的や場所にふさわしい、落ち着いたシンプルなデザインを選ぶとよいでしょう。

《さまざまなスライドデザイン》

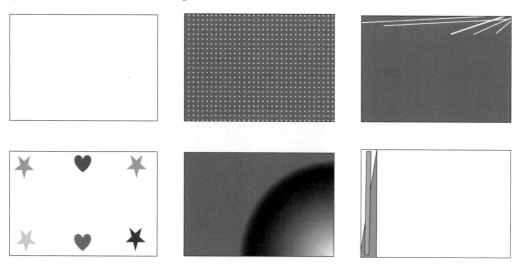

2. 1枚のスライドに入れる情報

　発表を聞く人は、耳で話を聞きながら、目でも情報を取り込み、複合的に理解するという作業を行っています。聞き手に話している内容を的確に理解してもらうためには、スライドに示している内容を聞き手がすぐに把握できるよう視覚的に工夫する必要があります。1枚のスライドに示す情報は多すぎても、少なすぎてもよくありません。各スライドにタイトルがつけられるよう、要点を1つに絞ることが大切です。

　次の3枚のスライドは、いずれも日本人の平均寿命について示したスライドです。ひと目で理解しやすいものはどれかと聞かれれば、スライド例 10-3 が最も良いと言えるでしょう。

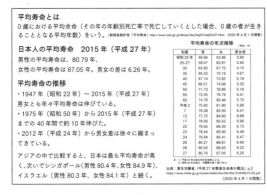

スライド例　10-1

（右上に スライド例 10-2）

日本人の平均寿命

2015年（平成27年）
男性の平均寿命は 80.79 年　　一方、女性の平均寿命は 87.05 年
男女の差は 6.26 年

スライド例 10-2

スライド例 10-3

　スライド例 10-1 は、1枚のスライドの中に、平均寿命の定義、現在の平均寿命、表の特徴、アジアとの比較と4つの事柄が書かれており、情報が多すぎます。一方、スライド例 10-2 は、スライドの下半分が空白のままで、情報量が不足しています。スライド例 10-3 では、「日本人の平均寿命の推移」を述べることがタイトルから明確に理解でき、3つの特徴

について話すのだということが簡単に想像できます。

3. 項目の関係

　聞き手に、書いてある項目間の関係（見出し―大項目―中項目―小項目）がすぐわかるように項目を配置しましょう。スライド例 10-5 のように色や文字のサイズ、書き始める位置などを工夫し、見やすくすることが大切です。

２．項目の関係

項目の関係を明確に示すことが重要
見出し―大項目―中項目―小項目
見出しや項目により、配色、文字サイズ、文字開始の位置を変えるなどの工夫が必要

スライド例　10-4

２．項目の関係

・項目の関係を視覚的に明示

例）
　見　出　し
　大　項　目
　　中　項　目
　　　小項目
　　　小項目

・必要な工夫
　配色、文字サイズ、文字開始の位置

スライド例　10-5

4. スライドのレイアウト

　1枚のスライドに、対比させたい内容を書く場合には、スライド例 10-6 や 10-7 のように、スライドの左右、上下で２つに分けて示すと、視覚的に理解しやすくなります。

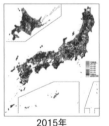

都道府県・市区町村別平均年齢

2000年　　　2015年

出典：総務省統計局「国勢調査　都道府県・市区町村別特性図 年齢構成」
2000年　https://www.stat.go.jp/data/chiri/map/c_koku/nenrei/pdf/2000-1.pdf
2015年　https://www.stat.go.jp/data/chiri/map/c_koku/nenrei/pdf/2015-1.pdf

スライド例　10-6

用語の説明

ＧＤＰ
（Gross Domestic Product 国内総生産）
国内で一定期間内に生産されたモノやサービスの付加価値の合計額。

ＧＮＰ
（Gross National Product 国民総生産）
現在は、ＧＮＰではなく、国民総所得（GNI）概念が新しく導入されている。

出典：内閣府「よくある質問（FAQ）GDPとGNI（GNP）の違いについて」
https://www.esri.cao.go.jp/jp/sna/otoiawase/faq/qa14.html

スライド例　10-7

5. 文字の大きさとフォント

本文の文字の大きさは、後方に座っている人にも見えるように注意しましょう。

フォントは、通常はゴシック（Gothic）を用い、細い字体は避けましょう。スライドの文字のフォントの初期設定がゴシックになっていないものもあるので、その場合は、自分で変更しなければなりません。

《字体の例》

結論 (ゴシック)　　結論 (明朝体)　　結論 (教科書体)　　結論 (行書体)
Conclusion (Arial)　Conclusion (century)　Conclusion (明朝)

6. 色使い

強調したい部分の色を変えたり、スライド全体の見出しの色をそろえたりするなどの工夫をすると、聞き手に見やすいスライドを作ることができます。しかし、スライド例10-8のように色を使いすぎると、逆にどこに注目すればよいのかがわかりにくくなるので、スライド例10-9のように3色程度にしましょう。

また、白地に黄色などの薄い色の文字、暗い下地に黒字などの濃い色の文字は見づらいので、この点にも気をつけましょう。

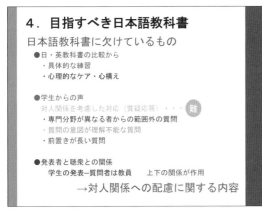

スライド例　10-8　　　　　　　　スライド例　10-9

7. アニメーション

Microsoft PowerPoint などには、文字や絵・図形に動きをつける「アニメーション」という機能があります。

アニメーションを使う利点としては、動きがあるので、示された（しめ）ものが印象深（いんしょうぶか）く頭に残りやすい、楽しい、注目を集めやすいといった点があります（スライド例 10-10）。しかし、その一方で、使いすぎると、次々とスライドが変化するため、慌（あわ）ただしい印象（いんしょう）を与（あた）えたり、十分に提示（ていじ）する時間がなくて、聞き手は理解できずに発表が終了（しゅうりょう）してしまう可能性もあるので、気をつけて使いましょう。

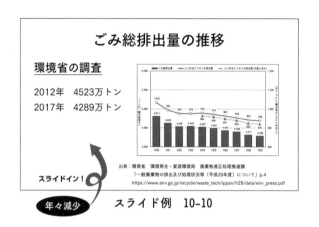

スライド例　10-10

8.　絵や写真の使用と出典（しゅってん）の表示

（1）絵や写真を用（もち）いる利点

言葉による説明が複雑（ふくざつ）になるときは、説明を補（おぎな）うために絵や写真などの画像（がぞう）を使うのが効果的（こうかてき）です。特に、発表冒頭（ぼうとう）の研究の背景などで、自分の発表内容がどのような分野の研究であるのかを伝えるためには、絵や写真が便利です。例（たと）えば、写真のないスライド例 10-11 より、写真のあるスライド例 10-12 の方がイメージをよく伝えることができます。

スライド例　10-11

スライド例　10-12

（2）出典（しゅってん）の表示

絵や写真を使用する際（さい）に、インターネットなどで探した、他の人が描（えが）いた絵や撮影（さつえい）した写

真を勝手に「コピー&ペースト」で使用してはいけません。使用する際は、フリー素材以外、絵や写真とともに出典（出所）を書かなければなりません。図表も同様です（スライド例 10-13、10-14）。また、正式な場での発表で使用する際には、事前に許可を取ることが必要なので、できるだけ自分で作成した絵や撮影した写真を使いましょう。

・他の人の図表を使用した場合…出典を明記する。

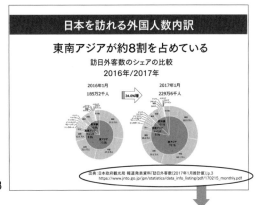

スライド例　10-13

日本政府観光局　報道発表資料「訪日外客数（2017 年 1 月推計値）」p. 3
https://www.jnto.go.jp/jpn/statistics/data_info_listing/pdf/170215_monthly.pdf

・他の人の図表をもとに、自分で新しく図表を作成した場合…もとにした出典を明記し、「〜をもとに作成」または「参考〜」と書く。

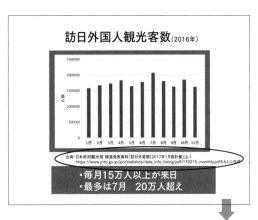

スライド例　10-14

日本政府観光局　報道発表資料「訪日外客数（2017 年 1 月推計値）」p. 1
http://www.jnto.go.jp/jpn/statistics/data_info_listing/pdf/170215_monthly.pdf をもとに作成

　同様に、次ページのスライド例 10-15、10-16 のように他の人が書いた文章を引用する場合にも、自分のものではないことがわかるように、著者名や文献の発行年、ページなどの情報を示さなければなりません。

・他の人の文章を引用した場合…引用した文章とともに著者と発行年、ページをスライドに書く。

日本語教育の目標
西口（2015）は、「第二言語としての日本語教育の目標は、学習者が日本語によってさまざまな言語活動に従事できるように教育・指導することである。」と述べている。（p.142）

スライド例 10-15

日本語教育の目標
「第二言語としての日本語教育の目標は、学習者が日本語によってさまざまな言語活動に従事できるように教育・指導することである。」（西口、2015, p.142）

スライド例 10-16

9. 参考文献リスト

　発表で引用した文献については、聞き手への感謝を述べる最後のスライドの1枚前で、「参考文献（または引用文献）」として一覧にまとめて提示します。参考文献を記す際に、必要な情報は以下のとおりです。

書籍：著者名、発行年、書名、出版社名
論文：著者名、発行年、題名、雑誌名、巻または号、ページ
Web サイト：サイト名、URL、閲覧日

参考文献
1．西口光一（2015）『対話原理と第二言語の習得と教育—第二言語教育におけるバフチン的アプローチ—』くろしお出版
2．仁科浩美(2014)「理工系留学生の発表場面における質疑応答の課題—コミュニケーション・ブレイクダウンの観点から—」『専門日本語教育研究』16、pp. 37-44
3．「平成30年版科学技術白書」http://www.mext.go.jp/b_menu/hakusho/html/h-paa201801/detail/1405921.htm（2019年1月25日閲覧）

スライド例 10-17

10. スライド番号

　質問をしたい場合、スライド番号が書いてあると、「スライドの〇枚目を見せてください」というように、質問箇所を簡単に伝えることができて、便利です。忘れずにスライド番号を書くとよいでしょう。

タスク **1**

第9課で学んだことも使い、次の発表原稿を話すときのスライドを作成しましょう。スライドは複数枚になっても構いません。

(1) 照明に関する新しいシステム開発について　　　　　　　　　　　〔導入〕

　今日、エネルギーを節約するために、オフィスビルにおいては照明をいかに効率よく使うかが大きな課題となっています。そのためには、誰もいない場所では照明は消し、人がいる場所では照明を使うといった細やかな対応が求められています。最近では、人がいるかどうかを感知するセンサを用いた照明制御システムが多く使われていますが、この場合、その人が必要としていない場合でも決まった明るさが提供されるという欠点があります。本研究では、人を感知し、その人にとって必要な明るさを提供し、不必要な照明は消す、あるいは照明を弱くするといったことができるシステムの開発を行っています。これを我々は「知的照明システム」と呼んでいます。

参考：小野林功昇・三木光範・榊原佑樹・池上久典・間博人（2014）「人感センサを用いた照明制御システムと知的照明システムの消費電力削減効果の比較」『同志社大学理工学研究報告』Vol. 55. No.2　https://doors.doshisha.ac.jp/duar/repository/ir/16473/023055020013.pdf（2020年3月12日閲覧）

(2) 大学生の本を読む時間について　　　　　　　　　　　　〔結果および考察〕

※ WEBからダウンロードできる調査結果の図があります（p. 5）。

　調査の結果、大学生の1日の読書の平均時間は30.0分であることがわかりました。これは前年より6.4分と若干長くなっています。1日の中で全く読書をしないと答えた学生の割合は48.0％で、最も多い割合を占めています。この数字から、調査を開始して以来最も高い数字となった2017年より、約5％減少したものの、依然として本を読まない学生が半数近くを占めていることがわかります。

　本を読む時間が減っている原因として最も考えられるのは、必要な情報を本からではなく、スマートフォンやパソコンなどを使い、インターネットから得ている可能性です。文字を読むという意味においては、この場合も行っていると言えますが、紙媒体からデジタル媒体へと情報の取り方が変化し、書かれている内容をゆっくり味わうというよりもその場で必要な情報を知るために文字を読むという活動が増えているのかもしれません。

参考：全国大学生活協同組合連合会「第54回学生生活実態調査の概要報告」https://www.univcoop.or.jp/press/life/report.html
（2019年11月30日閲覧）

タスク **2**

部分的ではありますが、タスク1で作成したスライドを使って発表しましょう。

第11課 質疑応答（1）
しつ　ぎ　おう とう

質問やコメントを受ける

学習目標	→学習後に Check
質疑応答の目的と意義を理解する。	☐
質疑応答の流れを理解する。	☐
質問やコメントの種類と、その際に用いられる日本語表現を覚える。	☐

1. 質疑応答の目的と意義

　発表が終わると、発表した内容について質問やコメントの時間が始まります。発表の持ち時間が30分の場合、20分が発表、残り10分が質疑応答というのが一般的です。発表者は、聞き手からの質問に答え、発表の中で十分に触れられなかったことを説明したり、コメントをもらったりします。聞き手との対話を通して、研究をより良いものにするヒントを得られるだけでなく、聞き手の関心がある点や発表でうまく伝わらなかった点を知ることができます。

2. 質問を受ける心構えと準備

　質問を待つときは、どんな質問が来るか、ドキドキするでしょう。しかし、どのような質問であっても、自分の研究に関心を持ってくれた貴重な声とポジティブにとらえて、誠意を持って答えましょう。

　学生の発表に対して、先生が聞き手となる場合、先生は学生が説明しきれていない研究の良い面を引き出そうとし、質問することも多くあります。また、あなたの研究内容がより充実したものになるよう、解決方法を一緒に考えてくれることもあります。

　聞き手が質問しやすい環境を作るために、発表に使用したスライドは「スライド一覧」の状態にして、聞き手が思い出しやすくしておくとよいでしょう。また、ペンとノートを忘れずに手元に用意し、貴重な質問やコメントを書き留めておきましょう。

3. 質疑応答の流れ

1つの質疑応答は、基本的に「質問／コメント」→「回答」→「了解、お礼」といった3つの部分から構成されています。

A：質問／コメント	例）○○となった原因についてはどう思いますか。
B：回答	はい、これについては～と考えています。
A：了解とお礼	わかりました。ありがとうございます。

さらに、詳しく見ると、質疑応答は、図11-1のような手順で進められます。

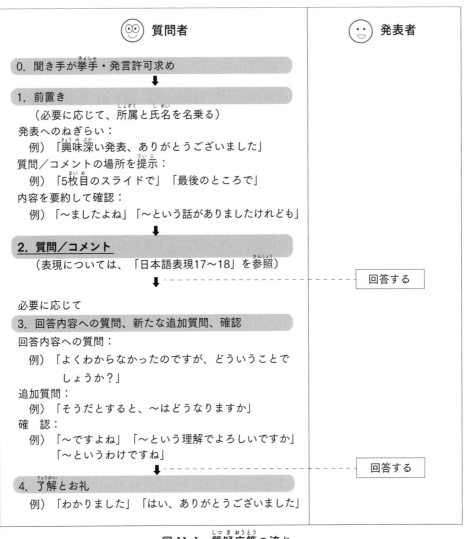

図 11-1 質疑応答の流れ

4. 挙手する人の目的と丁寧度

　質疑応答の時間に手を挙げて発言する人の目的や意図は、質問の場合とコメントの場合との2つに分けられます。

　また、先生が質問をする場合、日本語の丁寧度は、人によってさまざまです。最初は「です・ます体」で話していますが、話しているうちに普通体になる先生もいれば、学生に対しても初めから敬語を使って話す先生もいます。多様な話し方があることを理解しましょう。

5. 質問とコメント

　どのような質問とコメントがあるか、日本語表現とともに見てみましょう。

日本語表現17 ▶ 質問の種類と表現

　質問には、次の4つのタイプが多く見られます。

（1）確認したい：言葉の意味や図表の見方など理解できなかった箇所、聞こえなかった箇所について再度説明を求めて確認を行います。
  a. すみません。○○というのをもう一度説明してくれますか。
  b. ○○というのは、△△というのと、同じようなことですか。
  c. それはこのやり方では限界があったということですよね。
  d. それは温度が低すぎて反応しなかったというわけですよね。

- -

（2）疑問に対する説明がほしい：納得できない点や謎に思う点について説明を求めます。
  a. このような結果が出たということは、○○の問題が解決すれば、実用化にかなり近づくということでしょうか。
  b. アイデアは良いと思うんですが、結果がうまく出せていないのはどこに問題があるんでしょうか。
  c. 条件を変えても結果があまり変わらなかったということについては、どんな原因が考えられますか。
  d. 他の研究で○○法で分析しているものを見たことがあるんですが、今回その方法を使わなかった理由は何ですか。

- -

（3）**関連・発展する情報がほしい**：関心のある事柄について関連・発展する情報を求めます。

    a. ○○についてもう少し詳しく知りたいのですが、教えてくれませんか。

    b. ○○の方法もこれに似ていると思うんですけど、違いを説明していただけませんか。

    c. 結局、その技術は将来的にはどこまで性能を上げたいのでしょうか。目標値があれば、教えてください。

- -

（4）**研究に対する発表者の理解度をチェックする**：卒業発表など、先生が学生の研究を評価する必要がある場合に多く見られます。

    a. ○○現象について説明してください。

    b. スライド3ページ目の図3の縦軸は何を示していますか。単位は何ですか。

    c. なぜ日本人は音声より文字による意思の疎通を好むのでしょうか。あなたの考えを聞かせてください。

    d. 温度を45℃で一定に保たなければならない理由を説明してください。

日本語表現 18 ▶ コメントの種類と表現

    コメントには、主に3つのタイプがあります。学生同士でもコメントを言いますが、特に先生が学生の発表に対してコメントを述べる場合には、学生の研究への取り組みに対する評価もしばしば行われます。

（1）**評価する**：発表者の頑張りや努力をねぎらったり、ほめたりします。質疑の冒頭に前置き表現として使用されることもあります。また、目標達成が難しいことを示唆するときもあります。

    a. 難しい課題に大変根気強く取り組まれたと思います。

    b. ユニークな研究で興味深く聞きました。

    c. このアプローチで実験を継続するのはかなり厳しいのではないでしょうか。

- -

（2）**より良い方法を提案する**：発表者が行った方法とは異なる、より良い方法を提案します。

    a. 今回は○○という視点から分析したわけですが、△△という視点から分析してみると、また異なる傾向がつかめるのではないかと思いました。

b. 今回の方法だと自然条件にかなり左右されますので、○○という方法のほうが安定した結果が得られるように思います。

c. ○○の部分を△△に変えて、再度実験してみたら、面白い結果が出るのではないでしょうか。

d. ○○のような表記にしたほうがよいのではないでしょうか。

（3）参考となる情報を提供する：今後の研究に役立つ情報を提供します。

a. 〜についてはご存じですか。○○氏が同じような研究について論文に書いていますので、それを読むといいと思いますよ。

b. 〜については『○○』という本があります。参考にしてください。

c. 〜を使った方法は○○氏が詳しいです。ぜひ調べてみてください。

6. 独特な前置き表現

　聞き手にとって、初めて聞く発表を短い時間で全て理解するのは、なかなか難しいものです。発表者が既に説明したかもしれないと思ったり、質問することに少し自信がないと思ったりしたとき、質問者は、質問の冒頭に前置きとして、次のような表現を使うことがあります。

日本語表現 19 ▶ 独特な前置き表現

a. あのう、聞き逃したのかもしれないのですが、〜。

b. 少し的外れな質問かもしれませんが、〜。

c. あのう、あまりこの分野に詳しくないので、よくわからないんですけど、〜。

d. この問題に関しては素人なので、教えてほしいのですが、〜。

 タスク **1**　次の（1）〜（2）を考えましょう。

(1) 質疑応答_{しつぎおうとう}の時間は、次のa、b、cの人たちにとって、どのような意味があるでしょうか。

a. 発表者	b. 質問者	c. b.以外の聞き手

(2) あなたが発表した際_{さい}、質疑応答_{しつぎおうとう}の時間に質問がなかったら、どう思いますか。

 タスク2　タスク1で考えたことについて話し合いましょう。

 タスク3　日本語表現17～19に慣れましょう。ペアになって、AさんはこれらのでAさんが次に示_{しめ}すどの意図_{いと}で話したか、考えましょう。表現を使い、Bさんに質問やコメントを言いましょう。Bさんは、Aさん

質問

(1) 確認したい。

(2) 疑問に対する説明がほしい。

(3) 関連・発展_{はってん}する情報がほしい。

(4) 研究に対する発表者の理解度を
　　チェックする。

コメント

(1) 評価_{ひょうか}する。

(2) より良い方法を提案_{ていあん}する。

(3) 参考となる情報を提供_{ていきょう}する。

Note 6　実験系の発表における質問

実験をもとにした研究の場合、以下のような点についての質問が多く見られます。

Ⓐ　実験材料・器具・装置

・もう少しサイズが大きいものを使ったらいいのかなと思うんですけど、それについては
　どうですか。

Ⓑ　実験過程で考慮すべき要件

・実験の途中で温度は上がっていかないんですか。
・反応速度については考慮しなくてもいいのでしょうか。

Ⓒ　実験方法や手順

・温度を調節するとき、ガスの流量は変えているのでしょうか。
・その段階で酸素を減らしましたよね。何の効果があるのでしょうか。

Ⓓ　結果に対する考察

・なぜここは 1.5 倍になったのでしょうか。
・化学反応がとても遅い場合、どういう対応をすればよいのでしょうか。

Ⓔ　図表や数式

・その図の A は何の値でしょうか。
・その式の A は何を表しているのか、説明してください。

第12課 質疑応答（2）

しつ ぎ おう とう

回答する

学習目標	→ 学習後に Check
回答のポイントと状況に応じた回答の仕方について理解する。	☐
回答する際に用いられる日本語表現を覚える。	☐

1．回答のポイント

回答する際は、落ち着いて話すことが大切ですが、次の3つの点に気をつけましょう。

（1）質問をよく聞く

答える際に最も大切なことは、まず質問をよく聞き、相手の発言を的確に捉えることです。質問を取り違えては、回答は的外れなものになってしまいます。よく耳を傾けて、相手の言いたいことを理解しましょう。理解したことが正しいかどうか心配なときは、「～という理解でよろしいですか」「～という質問ですね」と、相手に確かめることも有効です。

（2）沈黙に注意する

発表者が何も言わないままでいると、質問者は、答えない理由をいろいろ考えます。「質問の答えがわからないから黙っているのか」あるいは、「今、考えているところなのか」、質問者にはその理由が判断できないため、困ってしまいます。留学生の場合、「日本語がわからないから黙っているのか」と考えてしまうかもしれません。発表者は、何がわからなくて答えられずにいるのかを示すことが必要です。

（3）感謝を述べる

質問やコメントをしてくれたことに対して、「ご質問／コメント、ありがとうございます」と感謝の気持ちを述べましょう。

2. 質問を受けた際の状況

　質問を受けた際、発表者の状況には次の3つの場合が考えられます。

　1つ目は、質問の意味を理解でき、自信を持って回答できる場合です。

　2つ目は、質問は理解できたものの、回答することに問題がある場合です。例えば、その答えがわからなかったり、日本語で説明するのは難しい場合です。

　3つ目は、質問自体をうまく受け取ることができなかった場合です。例えば、よく聞き取れなかった、わからない言葉があった、日本語は聞くことができたが、何を聞きたいのかがよくわからなかったという場合です。

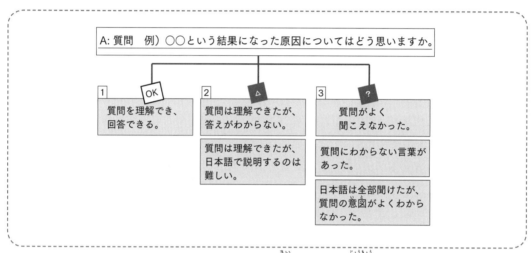

図 12-1　質問を受けた際の発表者の状況

3. 状況に応じた回答

　それでは、それぞれの場合の回答の仕方を覚えましょう。

日本語表現 20 ▶ ① 質問を理解でき、回答できる場合

　質問者に求められている情報をまず簡潔に述べましょう。Yes/No 質問には、まず Yes/No を答えます。Yes/No で答える質問ではない、「いつ when」、「何を what」、「どうやって how」のような、いわゆる WH で尋ねる質問（オープンエンド型）の場合は、聞かれている質問に合った答えを最初に述べます。そして、その後で必要に応じて説明を加えます。

（1）Q：調査は、1人ずつインタビュー形式で行ったのでしょうか。

→【Yes/No 型がた】

A：はい、そうです。一人ひとりに面接めんせつをして、考えを聞いていきました。

- -

（2）Q：外国人に対しては何語でインタビューしたのでしょうか。

→【オープンエンド型がた】

A：はい、基本的きほんてきには日本語で行いました。日本語がわからないときには、英語も使ってインタビューしました。

- -

（3）Q：測定装置そくていそうちをその場所に設置せっちした理由を教えてくれませんか。

→【オープンエンド型がた】

A：はい。これは風や雨、太陽光などの影響えいきょうを受けるのを防ふせぐために、この場所に設置せっちしました。これにより、数値すうちの誤差おさを抑えることができたと考えています。

日本語表現 21 ▶ ② 質問は理解できたが、答えがわからない、日本語で説明するのは難しい場合

知っているふりをしたり、調査や実験をしていないのに断定した答え方をするのはやめましょう。質疑応答しつぎおうとうの時間は限られているので、わからなければ、正直に答えましょう。自分の予想や推測すいそくを述のべる場合には、調査や実験をしていない段階での自分の考えであることをはっきり言わなければなりません。また、英語でなら説明できるが、日本語で説明するのは無理むりだと思ったら、英語を使ってもよいか許可を求めましょう。

a. すみません。まだその点については勉強不足でよくわかりません。

b. ○○については、今回は調査していないので、お答えすることができません。

c. そこまでまだ実験はしていないので、はっきりとは言えないんですが、私の予よ測そくとしては、おそらく量を変えても反応はんのうはうまくいかないのではないかと思います。それよりも温度のほうが大きな要因となっているのではと考えています。

d. ご質問は理解できたのですが、それについて日本語で説明するのはちょっと難しく…。英語で説明してもよろしいでしょうか。

95

日本語表現 22 ▶ ③**質問がよく聞こえなかった、**
質問にわからない言葉があった、
質問の意図（いと）がよくわからなかった場合

　質問がよく聞こえない、または、わからない言葉がある場合、あるいは、質問の
意図（いと）がよくわからない場合、勝手に解釈（かいしゃく）して答えるのはよくありません。質問に対
して的外（まとはず）れな回答をしてしまう可能性があるからです。まず、最初の段階で、「質
問をうまく受け取れなかった」という自分の状況（じょうきょう）を相手に伝えましょう。その場
合、どのような点が不明であったのか（聞き取れなかったのか、特定の単語がわか
らなかったのか、質問の意図（いと）が不明であったかなど）を明確に伝えることが大切で
す。また、質問に対する自分の理解が合っているかを確認することも、適切に答え
るのに役に立ちます。

（1）**質問がよく聞こえなかった場合**
　　a.　△（あなたの）声が小さいのですが。
　　　　→原因が相手にあると聞こえる言い方は避（さ）けたほうがよい。
　　b.　○ すみません、ちょっと質問が聞き取りにくかったのですが、もう一度お願
　　　　いできますか。

- -

（2）**質問にわからない言葉があった場合**
　　a.　あのう、「○○」というのがよくわからないのですが。
　　b.　あのう、「○○」というのがよくわからないのですが、それは△△ということ
　　　　と考えてよろしいでしょうか。

- -

（3）**質問の意図（いと）がよくわからなかった場合**
　　a.　ご質問は、○○が△△に与（あた）える影響（えいきょう）は何かということでしょうか。
　　b.　ご質問は、○○が△△に与（あた）える影響（えいきょう）は何かということと理解してよろしいで
　　　　しょうか。

タスク 1　次の場合は、どのように回答したらよいか、考えましょう。

（1）質問は理解できたが、調査や実験を行っていないことについて尋（たず）ねられた場合

　　例）　質問者「男女別の結果はわかりましたが、年齢（ねんれい）による違いは見られましたか。」

（2）質問は理解できたが、日本語で説明するのは難しい場合

　　例）　質問者「この政策（せいさく）がうまくいかなかった最大の原因は何だと考えますか。」

（3）遠くて、質問がよく聞こえなかった場合

（4）意味がわからない単語があり、よく理解できなかった場合

　　例）　質問者「最近のグローカリゼーションにおいても何か影響（えいきょう）は見られるんでしょうか。」

（5）何を聞きたいのか、質問の意図がよくわからなかった場合

　　例）質問者「こういう調査は出てきた結果をどう見るかが難しいですよね。私も前に
　　　　　やったことがあるんですが、やはりアンケート調査に答えたことと実際に選ぶも
　　　　　のとは一致しないという研究者もいますし、どうですかね。」

 タスク1で考えた回答について話し合いましょう。

 第4課〜第8課の発表例「来日する外国人観光客に対して提供す
べきサービス」の質疑応答部分を見て、質問に対し、どのように
答えているか、下線部分に書きましょう。

質疑応答

　　Q&A 1
　　司会：発表、ありがとうございました。

　　　　　では、質問やコメント、何かありますか。

　　（少し間がある）

　　Q1 ：はい。（挙手）

　　司会：はい、どうぞ。

　　Q1 ：はい。8地域の表について見せてもらえますか。

　　A1 ：はい。

　　Q1 ：携帯電話やWi-Fiに対する不満は、台湾の人やシンガポールの人の不満が多
　　　　　いですが、それはどうしてですか。

A1 ：①＿＿＿＿＿＿＿＿＿＿＿＿＿＿＿＿＿、台湾やシンガポールは Wi-Fi など
の環境はかなり整っているので、日本に来ると不便を感じる②＿＿＿＿＿

＿＿＿＿＿＿＿＿＿＿＿＿＿。

Q1 ：ああ、なるほど。はい、ありがとうございます。

司会：あと、ほかに…。

Q&A 2

Q2 ：あのう、いいですか。

司会：はい、どうぞ。

Q2 ：「旅行中、困ったこと」についての表ですけど、

A2 ：（表 2 を見せる）③＿＿＿＿＿＿＿＿＿＿＿＿。

Q2 ：はい。複数回答のほうで、「旅行中困ったことがなかった」と答えた人が 30%
ほどいますが、あまり心配しなくてよいということですか。

A2 ：④＿＿＿＿＿＿＿＿＿＿＿＿＿＿＿＿＿＿＿。うーん、そうですね…。あ
まり気にしていないということかもしれません。

Q&A 3

Q3 ：（挙手）

司会：はい、どうぞ。

Q3 ：はい。まとめのところですが、外国語のサービスをもっと行う必要があると
おっしゃってましたが、具体的には何かいい考えはありますか。

A3 ：そうですね…。　⑤＿＿＿＿＿＿＿、日本語もわかる留学生をもっと活用する
⑥＿＿＿＿＿＿＿＿＿＿＿＿＿＿＿。あとは、英語の表示や翻訳機のサービス
などもあると思います。

Q3 ：あっ、そうですね。

Q&A 4

Q4 ：あのう、調べた資料が観光庁のものが多いですけど、ほかのところが調べた
ものはないんでしょうか。

A4 ：はい、いろいろ調べてみたんですが、このようにまとまったものは⑦＿＿＿＿
＿＿＿＿＿＿＿＿＿＿＿＿＿＿＿＿＿＿。もう少し⑧＿＿＿＿＿＿＿

＿＿＿＿＿＿＿＿＿＿＿＿＿＿＿＿＿＿＿。

Q4 ：はい、わかりました。

Q5：はい。(挙手)

司会：はい、どうぞ。

Q5：あのう、日本に住んでいる外国人についても同じような調査はありますか。

A5：留学生とか日本の会社で働いている外国人への調査ということでしょうか。

Q5：ああ、はい。

A5：あ…。⑨＿＿＿＿＿＿＿＿＿＿＿＿＿＿、⑩＿＿＿＿＿、観光客の調査⑪＿＿＿
＿＿＿＿＿＿＿＿＿＿＿＿＿＿＿＿＿＿＿＿。⑫＿＿＿＿＿＿＿＿＿＿＿＿。

Q5：あ、大丈夫です。どうも。

司会：では、時間になりましたので。どうもありがとうございました。

Note 7　留学生が特に気をつけたいこと

　留学生が発表と質疑応答を行う場合、特に次のような点について気をつける必要があります。なお、BやCは、日本人学生の皆さんにもあてはまります。

A　発音

　せっかくわかりやすい発表原稿を作り、わかりやすいスライドを準備しても、話すときの発音が良くないと、言いたいことが相手に伝わりません。特にキーワードとなる言葉については、正確に伝わるように練習しておくことが必要です。どうしても発音が難しい言葉については、別の言葉や表現で言い換える、スライドで補足するなどの工夫をしましょう。

B　用語の多様性

　同じ意味を表していても、人によっては、漢語で言ったり、カタカナ語で言ったりすることがあります。質問されたときに焦ったり、困ったりしないように、よく用いられる用語については事前にチェックしておきましょう。
　　例）支援／サポート、流暢さ／プロフィシエンシー、反応機構／メカニズム
　　　娯楽／レジャー、質問紙調査／アンケート調査、上昇した／アップした

C 分野が異なると表す意味が異なる場合

同じ言葉でも分野によって、表す意味が異なる場合があるので、自分から話す場合には定義づけをすることが重要です。また、質問者と自分が考えている意味に違いがあると感じた場合は、意味の確認が必要です。

例)「テクスチャー（texture）」
　　繊維：繊維の折り方、生地
　　IT: コンピューター上で画面を合成する際、背景に利用する画像
　　化粧品：乳液やクリームなどの触り心地
　　食品：食感

D 明確に断言できないときの表現

あるかないか、白か黒かと聞かれたとき、はっきりと「ある」「白だ」と言えないことがあります。そのようなときの表現も覚えておきましょう。

- 全てがそうだというわけではないのですが、～。
- 必ずこうなるとは限りません。
- 完全にゼロになるかと言われると、{何とも言えない／断言できない}部分もあると思います。
- A のほうが 100% 正しいと言い切れない部分もあると思います。
- 厳密に言えば違うのかもしれませんが、今回はそこまで測定しませんでした。

第13課　質疑応答（3）

質問者に誤解や解釈のずれがあると感じたとき

学習目標	→ 学習後に Check
質問者に対する配慮が必要な場合について理解する。	☐
質問者に配慮が必要な際に用いられる日本語表現を覚える。	☐

1. 質問者との対話に必要な要素

　発表者と質問者の質疑応答を円滑に進めるためには、次の図 13-1 のように、「発表テーマそのものに対する知識や理解」「日本語表現」そして「対人関係（上下関係や親しさなど）への配慮」の 3 つが有機的にはたらく必要があります。

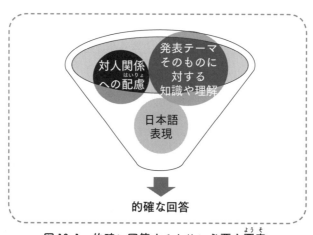

図 13-1　的確に回答するために必要な要素

2. 対人関係（上下関係や親しさなど）への配慮で考慮すべきこと

　対人関係については、さまざまな点を考慮してその場にふさわしい適切な方法を選択する必要があります。具体的には、次の図 13-2 に示すように、質問者の意図、態度や口調、質問内容に対する発表者の理解度、質問者と発表者の関係、その時々の場面や状況の要素を考慮し、回答の仕方を総合的に判断しなければなりません。

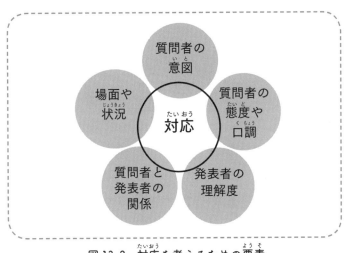

図 13-2　対応を考えるための要素

質問者の意図：質問かコメントか、不明な点を確認したいのか、試験として質問しているのか

質問者の態度や口調：冷静であるか、厳しく批判的か、温かく好意的か

発表者の理解度：発表者が質問についてどの程度理解しているか、十分答えられる内容か、
　　　　　　　　それとも難しい質問か

質問者と発表者の関係：初対面か面識があるか、上下関係があるか、日常的に知っている関
　　　　　　　　　　　係かなど

場面や状況：和やかな場面か、緊張感が漂う場か、学科や専攻全体で行われる発表か、研
　　　　　　究室やゼミ単位で行われる発表か

3. 質問者に対する基本的な姿勢

　質疑応答の際には、さまざまな内容の質問が来ることが予想されます。ここでは、特に、考えが異なる質問者や厳しい質問者に対して身につけておくべき基本的な姿勢を学びましょう。

日本語表現 23▶ **質問者に敬意を持って対応する**

　時折、否定的な質問や内容が難しすぎる質問が来ることがありますが、どのような質問であっても、発表者は、自分の発表について興味を持ち質問してくれた人に対して、敬意を持って対応することが大切です。まずは、質問者の発言を聞き、内容を理解したことを伝えた上で、自分の考えを説明しましょう。（下線部は理解を示した部分）

a. 確かにそういう面もあるかもしれません。 今回は、温度の課題を重点的に取り上げた結果なので、今後はその点についても考えていきたいと思います。

b. 協力者の数が少ないので、一般化するにはまだ無理があるのではないかということですね。 はい、その点についてはさらに協力者の数を増やしていきたいと思っています。

日本語表現 24 ▶ 質問者の発言を否定するような言い方はしない

　感情的になるのは客観的な議論ができなくなるので、お互いにとって望ましいものではありません。質問はあなたのためになるものが多いはずです。質問してくれた人の考えを否定するような言い方は、相手を不愉快にさせるだけで、発表者へのメリットはないので、気をつけましょう。「私」を主語にして、自分の視点から述べましょう。

a. × （あなたは A と言いましたが）ここは A じゃありません。

○ ここの部分は B を示しています。（データの説明のみにする）

b. × あなたの質問は（私の発表内容を）誤解しています。

○ （私の説明は）わかりにくかったかもしれませんが、ここでは A ということを述べたつもりでした。

c. × そのように考えるのは単純すぎると思います。

○ ここでは A だけでなく、B の影響も考える必要があると思い、このような方法にしました。

　質疑応答は、お互いに考えを伝えることで発表への理解を深めるものです。それゆえ、相手には敬意を払い、直接的な否定の表現を避けながら自分の考えを話さなければなりません。話すときには、相手の気持ちや考え方を尊重しながら、自分の意見もしっかり伝えるアサーティブな話し方（assertive communication）をするように気をつけましょう。

4. 対人関係に配慮した、誤解や解釈のずれへの対応

　先生や目上の人からの質問が、誤解をしているのではないかと思えたり、解釈にずれがあるとき、どのように対応すべきでしょうか。

「相手と自分との相違点が明らかになることによって感じられる、不安感や不快感」は、「コンフリクト」（conflict）と呼ばれています。どのような人間関係においても起きる可能性はあります。そのようなコンフリクトな状態になったときにも、冷静な対応を心がけましょう。対応の具体的な例としては、図 13-3 のようなものが考えられます。

A. 相手の考えと自分の考えの相違点を説明し、理解を求める	B. 相手の考え方には触れず、自分の結果や考えだけをもう一度丁寧に説明する
対応を選択	
C. その場での回答は避ける	D. 回答不能であることを正直に言う

図 13-3　誤解や解釈のずれへの対応例

第13課

質疑応答

(3)

日本語表現 25 ▶ A. 相手の考えと自分の考えの相違点を説明し、理解を求める

相手の考えを十分に理解できた場合、両者の考え方の共通点、相違点を整理して、確認するとよいでしょう。

a. ○○については同じ考えですが、△△については××という解釈をなさっていると思います。ですが、ここで△△は□□のような現象だと考えています。

b. 実はちょっとそこは前提が違いまして、○○は～、△△は～となっています。

c. ○○の点から考えると、そのように見えるかもしれません。今回は、△△の点から分析したので、このような結果になりました。複合的に考える視点も今後必要になるとは思います。

d. ○○の分野では△△のような処理をすると思いますが、我々の分野ではこのような処理をするのが一般的な方法だと思います。（先生が）提示された方法も面白い方法だと思いますので、今度取り組んでみたいと思います。コメント、ありがとうございました。

日本語表現 26 ▶ B. 相手の考え方には触れず、
　　　　　　　 自分の結果や考えだけをもう一度丁寧に説明する

　「相手が誤解しているのでは？」と思っても、相手の考え方には触れず「間違って理解していると思います」というようなことは言わないようにしましょう。質問された点について丁寧にもう一度説明をすることによって、相手に気づいてもらうようにします。

- a. （もう一度結論までの経緯を説明し）このような結果が得られたので、今回示した結論に至りました。
- b. 繰り返しになりますが、この図は〇〇白書の表をもとに私が書き表したものです。
- c. 先ほども述べましたが、ここでは 2000 年以降のアンケート結果を対象としています。

日本語表現 27 ▶ C. その場での回答は避ける

　「理解してもらうのに時間がかかりそうだ」、「簡単には納得してもらえないかもしれない」と思ったとき、質疑応答の短い時間で対応するのはやめて、発表が終わった後に改めて質問に回答することを伝えましょう。

- a. 詳しくは後でお話しさせていただけませんか。
- b. 私の説明が十分でなかったようなので、少し時間を取って後ほど説明させていただければと思います。

日本語表現 28 ▶ D. 回答不能であることを正直に言う

　答えがわからない場合は、「その点に関してはよくわかりません」「すみません。勉強不足でわかりません」といったように正直に答えましょう。

　ただし、調査や実験などについて、していなかったことを聞かれたとき、単にYes/No だけを答えるのは不十分です。「していません」の後に、指摘されたことについて「確かにそうだ」と思った場合は、誠意を持って自分の考えを述べましょう。

Q：～はしましたか。

A：いいえ、していません。

　　＋a.　今後はその点についても検討してみたいと思います。

　　　b.　調べておくべきだったと思います。今後の課題として考えたいと思います。

　　　c.　ご指摘いただいた点についても調査しておく必要があると思いますので、今後調べてみます。

 タスク❶　先生から次のような質問をされた場合、どのように答えたらよいか考えましょう。

(1) 相手が誤解している場合（話題：外国人観光客への言語サービスについて）

先生

> さきほどの発表で、外国人観光客がより多く地方を訪れるためには、インターネットを使った英語でのPRが大事とおっしゃいましたが、英語だけとは限らないんじゃないですか。

あなた

（英語だけじゃなく、観光客が多い中国語や韓国語も必要と言ったのに……）

(2) 理解が異なっている場合（話題：調査の方法について）

先生

> 調査の方法ですが、インタビュー調査を1時間に20人の人に実施したと言ってましたけど、私たちの分野では1人に対し、例えば1時間程度の時間をかけてじっくり行うものをインタビュー調査と言ってます。今回のあなたの調査は、街頭で声をかけて、アンケート調査を行ったということですか。

（「インタビュー調査」の用語の使い方が先生と違うようだ。私の使い方が間違っているのかな…。）

あなた

 タスク2 で考えたことについて話し合いましょう。

 タスク3 質問に対してどのような答え方をしているか「付録　研究発表例」の質疑応答部分（p.123～）を見て、第15課で行う発表の実践に備えましょう。

第14課　ポスター発表

学習目標	→ 学習後に Check
口頭発表との違いを理解する。	☐
わかりやすいポスターを作成する際（さい）の注意点を理解する。	☐
ポスター発表を行う際（さい）の注意点を理解する。	☐

1. 口頭発表とポスター発表

　第1課でも述（の）べたように、研究会や学会などの改（あらた）まった場（ば）で発表を行う方法には、口頭発表とポスター発表があります。どちらも「発表」であり、話す内容は基本的（き ほんてき）に同じですが、口頭発表と比較（ひ かく）すると、次ページの表14-1のような違いがあります。

　ポスター発表では、まず、発表者が大きな紙、一般的（いっぱんてき）にはA0サイズ（841×1,189 mm）の紙にまとめた研究内容を、周（まわ）りの聞き手に説明します。その後、聞き手からの質問に答えたり、コメントをもらったりします。聞き手はすぐ近くにいて、質疑応答（しつ ぎ おうとう）の時間も口頭発表よりはかなり長いので、じっくりと意見交換を行うことができます。発表する内容だけでなく、関連する研究内容についての情報交換（こうかん）や、研究を進めるにあたっての問題などについてお互（たが）いにアドバイスを行うこともあります。学外で初めて行う発表はポスター発表となる場合も多いようです。口頭発表にはない出会いがあなたを待っていることでしょう。

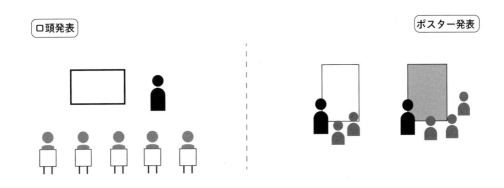

109

表 14-1　口頭発表とポスター発表の比較

	口頭発表	ポスター発表
発表時間	1つの発表時間は、10分〜20分前後が多い。	90分から2時間程度の時間枠の中で、1ラウンド10分から20分程度の発表と質疑応答を繰り返して行う。
発表の進行	1人ずつ発表する。	複数の発表者が同時に発表する。
視覚資料	スライドやレジュメ	ポスター
発表者と聞き手の距離・位置関係	遠い。発表者は前方におり、通常、聞き手は座って聞く。	近い。発表者を囲む形で、聞き手も立って発表を聞く。
聞き手の人数	会場の大きさによる。少人数から大人数まで。	ポスターを囲めるぐらいの人数。
聞き手の移動	1つの発表が終了するまで移動なし。	決められた時間の中で、複数の発表を自由に聞いて回ることができる。
質疑応答の時間	発表後、発表時間の 1/3 〜 1/2 程度の時間で行われる。次の発表者が控えている場合、時間厳守のことが多い。	決められた時間帯の中であれば、特に時間は制限されない。
質疑応答の進行	司会者がいて、進行を管理する。	司会者はいない。発表者と聞き手で自由に意見交換ができる。
質疑応答の内容	質問やコメントが主。時間が限られているため、簡潔なやり取りが求められる。	質問やコメントのほか、討論や情報交換、名刺交換なども行われる。聞き手の要望に応じて、詳しく説明することが可能。
会場の静かさ	比較的静か	周囲で発表している声や意見交換をしている複数の声が聞こえてくることが多い。

2. ポスター作成の際に気をつけること

　ポスター発表においてポスターは提示できる唯一の資料なので、ポスター1枚の中で話の筋（論理展開）が追えるよう、わかりやすく作る必要があります。具体的には次のような点に気をつけましょう。

- レイアウト：ひと目で話の流れ（何を目的に、何をして、何がわかったか）が把握できるよう、紙面が構成されているか。
- 文字の大きさ：周囲に立っている聞き手に読みやすい大きさか。
- 文字数、文章の長さ：文字数が多すぎて、あるいは、文章が長すぎて、見づらい紙面になっていないか。
- 色使い：統一感があるか、構成が理解しやすい色使いになっているか。
- 余白の取り方：窮屈な感じや、殺風景な感じになっていないか。
- 枠や矢印、マークなどの使用：理解の助けとなっているか。
- 図表や絵・写真：効果的に見やすく示されているか。

　特に、たくさんのポスターが並んでいるとき、自分の発表に注目してもらうためには、遠くからでも目を引くように発表タイトルを作成することが大切です。また、重要な点には、的確に伝わるよう、マークやアイコンをつけるなどの工夫をするとよいでしょう。

3. ポスター発表の際に気をつけること

　発表する際には、聞き手がすぐ目の前にいますので、アイコンタクトを十分に取りながら、説明しましょう。説明するときは、ポスターを隠さないよう端に立ちましょう。また、複数のポスター発表が同時に行われるので、周囲の発表にも配慮しつつ、適度な声の大きさで話します。1つのポスターを複数人で発表する場合は、ラウンドごとに発表担当を決める方法と、1つの発表を分担する方法があります。後者の場合、担当部分を前もって打ち合わせておき、区切りの良いところで交替します。ただし、あまり頻繁に交替すると、聞き手が発表に集中しづらくなるので注意しましょう。

　一通り説明が終わると、聞き手からの質問が始まります。口頭発表のときと同じくしっかり聞き手の話に耳を傾け、誠意を持って対応することが大切です。質問やコメントは、さまざまな内容に及びますが、どの点に興味や関心を持ってくれたのか、どの点がわかりにくかったのか、忘れないうちにメモをとっておきます。さらに意見やコメントをもらいたい場合には、後日連絡をとってもよいかどうかを尋ね、氏名や連絡先も聞いたり、名刺交換をしましょう。ポスター発表ならではの聞き手との「近さ」を活用しましょう。

　また、関心がありそうにあなたのポスターを見ている人がいたら、話を聞いてもらえるよう、声をかけてみましょう。

タスク 1 第4課〜第8課で扱った「発表例　来日する外国人観光客に対して提供すべきサービス」を使い、そのポスターを Microsoft PowerPoint などで作成しましょう。

タスク 2 タスク1で作成したポスターを見せ合い、聞き手に理解しやすいかどうか、良い点や改善点について話し合いましょう。

タスク 3 関心がありそうにこちらを見ている人に対して、発表者はどのように声をかけたらよいか、考えましょう。

タスク 4 タスク3で各自が考えたことをグループで話し合いましょう。

第15課 発表の実践と振り返り

学習目標	→ 学習後に Check
発表前の心構えについて理解する。	☐
声の大きさやスピードや、非言語コミュニケーションの大切さについて理解し、実際に発表を行う。	☐
発表と質疑応答の振り返りから、自分の発表の良い点や改善点を知り、次回の発表につなげる。	☐

1. 発表前の練習

　発表のスピーチ原稿とスライドが完成したら、最初から最後まで一通り話してみます。話の流れが相手に伝わりやすくできているか、わかりにくい表現はないかなどをチェックしましょう。

　発表時間についてもスライドや内容の進み具合から、「スライド 12 枚目までで 10 分」「結果のところまで 20 分で言い終える」などというように、自分なりの時間の目安を決めておきましょう。できれば、発表当日と同じような状況で、誰かに聞いてもらい、アドバイスをもらうのがよいでしょう。

　第 2 課でも述べましたが、発表前は誰もが緊張するものです。それを少しでも和らげるためには、何度も練習を行いましょう。はじめは手元のメモを見ながら発表してもかまいませんが、最終的にはできるだけメモは見ずに、聞き手を見て発表するようにしましょう。練習量が増えるとともに徐々に滑らかに話せるようになるものです。

　また、発表を行うときは「研究から得られた新しい知見を知っているのは、世界で自分だけである」と考え、自信を持って聞き手に伝えましょう。

　自分のパソコンではなく、主催者側が用意したパソコンを使ってスライドを見せる場合、機器の不具合により、思い通りに映らないことがあります。必ず事前に操作ボタンの順序を覚えたり、問題なくスライドが動くかどうかを確認しておくことが大切です。特に、動画を用いる場合は、トラブルが起きやすいため、スムーズに動画が流れるか、十分後ろまで聞こえる音量が出るか、実際に操作を行いましょう。

2. 話し方

　発表を行うときの声の出し方や話すスピードは、友だちとおしゃべりするときと変える必要があります。声は、後ろにいる聞き手にも伝わるようにお腹から出します。落ち着いてゆっくりと話すようにしましょう。

3. 非言語コミュニケーション

　言葉によるコミュニケーションのほかに、言葉以外によるコミュニケーションもあります。これを非言語コミュニケーションと言います。身振りや手振りなどがその例です。動きや態度が言葉以上に聞き手の印象に残ることもあるので、日ごろから自分の癖を知っておくことも大切です。
　また、服装や身だしなみ、視線、姿勢、声の大小・スピードなども聞き手にさまざまな印象を与えるので、注意しましょう。

4. 発表を振り返る

　撮影した発表場面を見てみましょう。自分の発表場面を見る恥ずかしさはなかなかなくならないかもしれません。しかし、自分の発表の様子を客観的に見るのはとても良い機会です。良かった点や、次の発表で改善すべき点を振り返って確認しましょう。

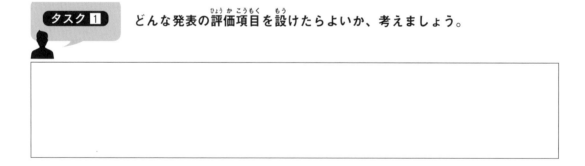

タスク 1　どんな発表の評価項目を設けたらよいか、考えましょう。

タスク 2　発表者として、そして聞き手として、発表に参加しましょう。

（1）発表者として：自分の研究についての紹介、または、興味のあることに関して自分で
　　　　　　　　　調べた結果について、発表して、質問やコメントに回答しましょう。
　　　　　　　　　発表の様子は後で振り返るために、ビデオやスマートフォンで撮影し
　　　　　　　　　ましょう。

（2）聞き手として：他の人の発表について、質問やコメントを行いましょう。

タスク3 撮影した自分の発表や他の人の発表の様子を見て、次の評価シートに記入
しましょう。他の人の発表については、もっと良い発表になるようにコメ
ントしましょう。

【評価シート】

①発表：話すことに関して

		評価項目	良い　　　　悪い 5・4・3・2・1	理由
言語に関わる部分	構成	構成の明確さ		
	内容	用語のわかりやすさ		
		聞き手を意識した説明の調整		
		話の流れ（論理展開）		
	話し方	スピード		
		発音の正確さ		
		流暢さ		
		声の大きさ		
		ポーズ（間）		
非言語	外見	態度		
		視線		
		表情		

① 発表：スライドやポスターに関して

評価項目（ひょうかこうもく）	良い　　　悪い 5・4・3・2・1	理由
字や絵・写真の大きさ		
色使い・レイアウト		
スライド1枚（まい）に入れる情報量（じょうほうりょう）		
日本語表現		
そのほか（　　　　　　　）		

② 質疑応答（しつぎおうとう）：話すことに関して

言語に関わる部分		評価項目（ひょうかこうもく）	良い　　　悪い 5・4・3・2・1	理由
言語に関わる部分	内容	傾聴（けいちょう）		
		質問に対する理解		
		適切な受け答え		
		回答に困ったときの対応（たいおう）		
	話し方	スピード		
		発音の正確さ		
		流暢さ（りゅうちょう）		
		声の大きさ		
		ポーズ（間（ま））		

非言語	外見	態度		
		視線		
		表情		

全体的な感想：

付録　研究発表例

学部４年生の日本人学生が行った研究発表の一例を紹介します。

研究は、穴の開いた空洞を持つ金属の生成に関するものです。空洞の金属を作るのに、超音波マイクロバブル（micro bubble）発生装置を使うという新しい方法についての研究発表です。

なお、この研究室でのマイクロバブルに関する研究については、新聞でも紹介されました（『朝日新聞』2017年6月18日朝刊掲載）。

微細な泡に最先端の力

目に見えないほどの小さな「泡」に注目が集まっています。液体の中に気体をより多く含ませることができるようになり、洗浄力が高まるなどの効果が実証されています。医療や農業、環境などさまざまな分野への応用も期待され、日本の研究者が世界のトップランナーとして活躍しています。

ひらけ！進路　新針路

きょうの授業　マイクロバブルを医療・農業・環境に

マイクロバブルが発生するビーカーを学生と観察する幕田寿典准教授（中央）＝５月18日、山形県米沢市の山形大学。峯俊一平撮影

ビーカーに入ったマイクロバブルを含む水（右）と水道水（左）

■何をやっても未知の領域

チタン合金製の漏斗のような気泡は浮力が小さく、大きな道具の先端からプクプクと無数の小さな気泡が湧き出される。ビーカー内に漂う気泡は、マイクロバブルと呼ばれる。直径は0.1ミリメートル以下。髪の毛の直径よりも小さく、日本が世界をリードする研究分野だ。

山形大の幕田寿典准教授（40）は中宮超音波ホーンと呼ばれる道具を使って、超音波の振動で気泡を砕き、より小さなマイクロバブルを作る方法を考えた。超音波を使えば、液体中で気泡をつくるのが難しかったが、種類を問わず微細な気泡を作ることができる。

気体を液体に吹き込んだとき、大きい気泡よりも小さな気泡の方が、液体が接する泡の表面積が大きくなる。小さ

■トイレ掃除や養殖場でも

西日本の高速道路の休憩施設のトイレ掃除に小さな泡が役立っている。マイクロバブルはさらに小さな0.001ミリメートル以下の「ウルトラファインバブル」を含む水をトイレに吹き付けて取るだけで、床の汚れが落ちる。

ここが大事　興味に素直に挑戦を

山形大学　幕田寿典准教授

超音波を使ってマイクロバブルを作る方法を発見したのは大学院生のころです。研究室にあった冷蔵庫のプラスチック製の引き出しに水をため、「手作り観察水槽」で実験をしていました。当時は実験に使える道具はなく、100円ショップを回っていました。気づきや発見にはお金は必要ないのです。

高校時代はいろんなことに挑戦して下さい。自分が何に関心があるのか気付き、興味に素直になって下さい。また、失敗してもなぜ失敗したのか解析することが大事です。そうした経験を通じ、自分が進むべき方向が見つかるはずです。

1

司会：それでは次の発表に移ります。では、お願いします。

はい。超音波マイクロバブル発生装置を用いて作るポーラス金属と題して発表いたします。

研究背景

ポーラス金属とは
　　内部に**多孔質構造**を有する金属材料

特長
- **軽量**
- 吸音性や断熱性，切削加工性に優れている
- 電気・熱の伝導性の制御が可能

用途
- 自動車部品の軽量化
- 構造用部材

L.J. Gibson, M.F. Ashby, Cellular solids : structure & properties

2

まず、ポーラス金属とは、内部に多孔質構造を有する金属材料のことです。ポーラス金属は、軽量であり、吸音性や断熱性、切削加工性に優れており、電気や熱の伝導性の制御が可能であるという特長を持っています。また、ポーラス金属にはオープンセル構造とクローズドセル構造が存在します。オープンセル構造は、高い気孔率を有し、クローズドセル構造は、オープンセル構造に比べて高い比剛性を有するという特長を持っています。これらの特長から、ポーラス金属は自動車部品の軽量化や構造用部材への応用が期待されています。

従来のポーラス金属の生成方法

気相法
高分子発泡体
金属蒸気

液相法
発泡剤
増粘剤
溶融金属

固相法
発泡剤粉末
粉末金属

3

特長
大量生産・複雑な形状での生成が可能

問題点
気孔径が比較的**大きく**なる(約1〜8mm)
生成工程において**爆発・燃焼**の危険性がある

従来のポーラス金属の生成方法は、金属蒸気を利用した気相法、溶融金属を利用した液相法、金属粉末を利用した固相法に大きく分けられています。これらの方法では大量生産が可能であり、複雑な形状での生成が可能であるという特長がありますが、一方で、気孔径が約1〜8mmと比較的大きくなってしまうこと、生成工程において爆発や燃焼の危険性があるなどといった問題点も存在します。

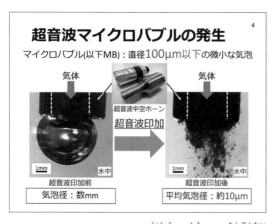

超音波マイクロバブルの発生

マイクロバブル(以下MB):直径100μm以下の微小な気泡

超音波印加前	超音波印加後
気泡径：数mm	平均気泡径：約10μm

次に、本研究室における超音波マイクロバブルの発生について説明します。まず、マイクロバブルとは直径が約100μm以下の微小な気泡のことを指します。本研究室では、こちらの中空超音波ホーンを使用してマイクロバブルを発生させています。

中空超音波ホーンとは、超音波振動子に取りつけ、超音波振動を伝達・増幅させ、内部に気体が通過可能な流路を設けた金属体のことです。この中空超音波ホーンを水中に挿し込み、気体を供給し、気泡を発生させたところへ超音波を加えることで、気泡の界面を激しく乱し、このような微細な気泡を発生させます。こちらの通常生成される気泡では、気泡径が数mmであるのに対し、超音波により微細化された気泡は平均で約30μmと非常に小さくなっていることがわかります。こちらの画像は水中でのものですが、この装置は有機溶媒や油などの液体にも使用することが可能です。そこで、マイクロバブル発生技術を溶けた金属にも使用し、ポーラス金属を作ることはできないかと考え、本研究を行いました。

目的

● 溶融金属中での超音波MB発生の検証

● ポーラス金属の簡易的な生成方法の開発

● ポーラス金属の内部構造の評価

本研究の目的は、溶融金属中での超音波マイクロバブル発生の検証、ポーラス金属の簡易的な生成方法の開発、ポーラス金属の内部構造の評価の3点です。

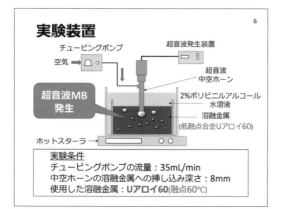

実験装置

実験条件
チュービングポンプの流量：35mL/min
中空ホーンの溶融金属への挿し込み深さ：8mm
使用した溶融金属：Uアロイ60(融点60℃)

こちらが本研究の実験装置の概略図です。溶融金属に中空超音波ホーンを挿し込み、空気を供給し超音波を印加することで、溶融金属中に超音波マイクロバブルを発生させます。それによりポーラス金属は生成されます。

生成過程
超音波中空ホーン
溶融金属への気泡発生は非常に困難
溶融金属中の観察は困難
溶融金属
生成したポーラス金属
(32倍速)

7

スライド 7 こちらが本研究で生成した ポーラス金属の実際の生成過程の映像です。溶融金属を設置したところへ中空超音波ホーンを挿し込み、溶融金属中で超音波マイクロバブルを発生させます。すると、このように溶融金属が盛り上がります。この盛り上がった溶融金属を室温環境下で固めることでこちらのポーラス金属が生成されます。

　しかし、液体に気泡を発生させるという方法では、これまで溶融金属に気泡を発生させることは非常に困難でした。また、溶融金属は不透明であるため、溶融金属中を実際に観察することも困難でした。

断面図
発泡部
● 溶融金属中への気泡発生を確認
● 非常に小さい気孔径を有する
　ポーラス金属の生成に成功
低発泡部： 51μm
全体　　：107μm
200μm
拡大図

8

スライド 8 こちらは本研究で生成したポーラス金属の断面図です。ポーラス金属の断面を観察したことにより、内部に多数の空洞を有することを確認しました。これにより、溶融金属中に実際に気泡が発生していることを確認しました。また、気孔は上のほうに偏っており、下のほうにはほとんど存在していないことがわかります。これ

は、溶融金属中に発生したマイクロバブルが、発生中あるいは静置中に上のほうに浮上したためだと考えています。また、超音波により発生するマイクロバブルの直径は非常に小さいことから、浮上速度が遅いため、このような多孔質構造を有するポーラス金属が生成したのだと考えています。本研究で生成したポーラス金属の平均気孔径は発泡部で123μm、低発泡部では51μm、全体では107μmという結果になりました。これは、発生したマイクロバブル同士が合体し、大きくなったものが上のほうで多く存在するためだと考えています。この値は、既存の製法で生成したポーラス金属より非常に小さくなっていることがわかります。この断面を観察したことにより、溶融金属中へ実際に気泡が発生していることを確認しました。また、本研究の製法により、非常に小さい気孔径を有するポーラス金属の生成に成功しました。

研究発表例

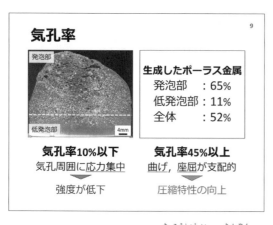

スライド 9

次に、気孔率、すなわち、空間が何％あるかについて説明します。本研究で生成したポーラス金属の気孔率は、発泡部で65％、低発泡部では11％、全体では52％という結果になりました。一般的なポーラス金属は、気孔率が10％以下の場合ですと、気孔周囲の金属に応力が集中し、強度が低下してしまいます。一方で、気孔率が45％以上の場合ですと、（気孔周囲の金属の）曲げや座屈（の変形）が支配的になり圧縮特性の向上が期待できるとされています。本研究におけるポーラス金属は発泡部で65％と高い値であったため、応力特性に優れた金属材料として使用可能であると考えられます。

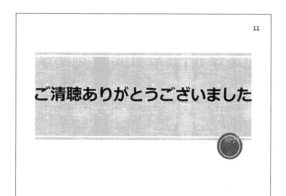

スライド 10

まとめです。断面の観察により、溶融金属相へ実際にマイクロバブルが発生することを確認しました。また、本研究の製法により、ポーラス金属を容易に生成することに成功しました。本研究で生成したポーラス金属は、ポア径が非常に小さく、圧縮特性を十分に発揮する気孔率を有していることがわかりました。これらより、本研究のポーラス金属は今後、軽量な自動車などの製造や、防音材などへの応用が期待できると言えます。

スライド 11

以上で発表を終わります。ご清聴ありがとうございました。

司会：ありがとうございました。

Q&A 1 【基本的な質疑応答の流れ】

司会：それでは、会場よりコメント・質問等、ございますでしょうか。

Q1 ：(挙手)

司会：はい、田中先生。

Q1 ：6枚目のスライドを見せてください。

A1 ：はい。

Q1 ：この実験装置なんですが、なぜ溶けた金属の周りに水を加えているのか、教えてください。

A1 ：はい。溶けた金属と大気間の温度勾配を緩やかにするため、水を加えています。

Q1 ：わかりました。ありがとうございます。

Q&A 2 【説明内容からの追加質問（下線部分）に回答する】

Q2 ：(挙手)

司会：はい、鈴木先生。

Q2 ：今回の実験では、Ｕアロイ60を使っていますよね。

A2 ：はい。

Q2 ：これ以外の金属でもできるんですか。何か条件があったら、教えてください。

A2 ：はい。この方法は他の金属にも応用することが可能です。現在使用している超音波発生装置の振動子が高温環境下では壊れてしまうため、融点の低い金属でしか使用することができません。しかし、冷却装置を取りつけた超音波発生装置を使用することができれば、さらに高温の融点を持つ金属でも生成することが可能になると思います。

Q2 ：そういうことは、超音波が発生できれば問題ないということですね。

A2 ：はい、そうです。

Q2 ：はい、わかりました。

Q&A 3 【複数回にわたる質疑応答】

Q3 ：(挙手)

司会：はい、どうぞ。

Q3 ：はい。将来的には、例えば、気孔径や気孔率といった内部構造の制御もする

123

ことができるんでしょうか。そのあたりについてどのように考えていらっしゃいますか。

A3：内部構造の制御に関しては、気体の供給流量や中空超音波ホーンの挿し込み深さを変更することで可能だと考えています。また、発生させるマイクロバブルの気泡径や発生量を変更することでも制御可能だと考えています。

Q3：もう具体的に実験されてるんですか。

A3：いえ、まだ具体的には行っていません。

Q3：今回は挿し込みの深さっていうのは、どのように決められたんでしょうか。

A3：はい。今回は、ポーラス金属の盛り上がる量を基準にして、最も盛り上がった条件を最適値として実験を進めました。これまでに、挿し込み深さを2mmから8mmまで1mmずつ変更して実験を行っています。7mmと8mmの時点で、ポーラス金属の盛り上がる量が同等だったので、さらに深くしても同等の結果が得られるのではないかと予想し、8mmを最適値としました。

Q3：よくわかりました。ありがとうございました。

Q&A 4　【発表者が確認（下線部分）をしてから回答する】

司会：ほかに…

Q4：(挙手)

司会：はい、加藤先生、どうぞ。

Q4：すいません。マイクロバブル発生のスライド、見せていただけませんか。

A4：はい。

Q4：聞き逃したかもしれないんですけど、マイクロバブルの発生はどのようにされているのかをお教え願えませんか。

A4：はい。<u>ええと、マイクロバブル発生のメカニズムについての質問でよろしいでしょうか。</u>

Q4：はい。

A4：メカニズムは、発生させた気泡に超音波を加えることで気泡界面が激しく波立ち、そこから非常に小さい気泡が飛び出すことでマイクロバブルが生成されます。本研究では、内部に気体が通過可能な流路を設けた、こちらの中空超音波ホーンを使用して超音波発生装置に取りつけ、超音波マイクロバブル発生装置を使用しています。この装置では、気体を供給するプロセスと超音波を加えるプロセスを同時に行っております。これによりマイクロバブルが発生します。

Q4：あっ、わかりました。どうもありがとうございます。

Q&A 5 【前置き表現および的外れな質問（下線部分）】

Q5 ：（挙手）

司会：はい、どうぞ。

Q5 ：あのう、ちょっとよくわからないので、教えてもらいたいんですけど、ポーラス金属内部の水はどのようにして取り除くんでしょうか。

A5 ：本研究で生成したポーラス金属はクローズドセル構造を有しているため、ポーラス金属内部に液体が入り込むことは考えにくいです。

Q5 ：あ、金属自体には水は入らない。ああ、そうですか。はい、わかりました。ありがとうございます。

司会：ほかにございませんでしょうか。（少し間）では、時間になりましたので、これで終わりにしたいと思います。ありがとうございました。

語彙表

スライド	日本語	読み方	英語
S1	超音波	ちょうおんぱ	ultrasonic
S1	マイクロバブル	マイクロバブル	microbubble
S1	発生	はっせい	generation
S1	装置	そうち	device
S1	超音波マイクロバブル発生装置	ちょうおんぱマイクロバブルはっせいそうち	ultrasonically generated micro-bubbles device
S1	ポーラス金属	ポーラスきんぞく	porous metal
S2	多孔質構造	たこうしつこうぞう	cellular structure
S2	吸音性	きゅうおんせい	sound absorption
S2	断熱性	だんねつせい	heat insulating property
S2	切削加工性	せっさくかこうせい	cutting processability
S2	伝導性	でんどうせい	conductivity
S2	制御	せいぎょ	control
S2	クローズドセル構造	クローズドセルこうぞう	closed-cell structure
S2	オープンセル構造	オープンセルこうぞう	open-cell structure
S2	気孔率	きこうりつ	porosity
S2	有する	ゆうする	possess
S2	比剛性	ひごうせい	high stiffness to weight ratio

付録 語彙表

125

スライド	日本語	読み方	英語
S3	従来の	じゅうらいの	conventional
S3	生成方法	せいせいほうほう	fabrication method
S3	金属蒸気	きんぞくじょうき	metal vapor
S3	気相法	きそうほう	vapor phase method
S3	溶融金属	ようゆうきんぞく	molten metal
S3	液相法	えきそうほう	liquid phase method
S3	金属粉末	きんぞくふんまつ	metal particle
S3	固相法	こそうほう	solid phase method
S3	形状	けいじょう	shape（structure）
S3	生成工程	せいせいこうてい	fabrication process
S3	爆発	ばくはつ	explosion
S3	燃焼	ねんしょう	burning
S4	微小な	びしょうな	tiny
S4	気泡	きほう	bubble
S4	中空超音波ホーン	ちゅうくうちょうおんぱホーン	hollow ultrasonic horn
S4	取りつけ	とりつけ	attach
S4	伝達	でんたつ	transmission
S4	増幅	ぞうふく	amplification
S4	通過する	つうかする	pass
S4	流路	りゅうろ	flow path
S4	界面	かいめん	interface
S4	乱す	みだす	disturb
S4	微細化	びさいか	miniaturization
S4	気泡径	きほうけい	bubble size
S4	有機溶媒	ゆうきようばい	organic solvent
S5	検証	けんしょう	verification
S5	簡易的な	かんいてきな	simple
S6	概略図	がいりゃくず	experimental apparatus
S6	挿し込む	さしこむ	insert
S7	映像	えいぞう	movie
S7	盛り上がる	もりあがる	swell
S7	不透明	ふとうめい	opaque

スライド	日本語	読み方	英語
S8	断面図	だんめんず	cross section image
S8	空洞	くうどう	pore
S8	偏る	かたよる	be biased
S8	浮上する	ふじょうする	rise to the surface
S8	径	けい	diameter
S8	発泡部	はっぽうぶ	forming part
S8	既存の	きそんの	conventional
S9	座屈	ざくつ	buckling
S9	支配的	しはいてき	dominant
S9	圧縮特性	あっしゅくとくせい	compression characteristics
S9	応力特性	おうりょくとくせい	stress characteristics
S10	発揮する	はっきする	active
S10	防音材	ぼうおんざい	sound insulation material
Q&A1	温度勾配	おんどこうばい	temperature gradient
Q&A1	緩やかな	ゆるやかな	gradual
Q&A2	Uアロイ60	ユーアロイ60	U-alloy 60
Q&A2	振動子	しんどうし	transducer
Q&A2	融点	ゆうてん	melting point
Q&A2	冷却装置	れいきゃくそうち	cooling device
Q&A3	最適値	さいてきち	optimum value

主な参考文献

犬飼康弘（2007）『アカデミック・スキルを身につける聴解・発表ワークブック』スリーエーネットワーク

上村和美・内田充美（2010）『プラクティカル・プレゼンテーション　改訂版』くろしお出版

大隅典子（2004）『バイオ研究で絶対役立つプレゼンテーションの基本』羊土社

大塚裕子・森本郁代（編著）（2011）『話し合いトレーニング　伝える力・聞く力・問う力を育てる自律型対話入門』ナカニシヤ出版

鎌田修・嶋田和子（編著）（2012）『プロフィシェンシーを育てる2　対話とプロフィシェンシー—コミュニケーション能力の広がりと高まりをめざして—』

鎌田美千子・仁科浩美（2014）『アカデミック・ライティングのためのパラフレーズ演習』スリーエーネットワーク

鈴木淳子（2002）『調査的面接の技法』ナカニシヤ出版

多田孝志（2006）『対話力を育てる—「共創型対話」が拓く地球時代のコミュニケーション—』教育出版

徳井厚子・桝本智子（2006）『対人関係構築のためのコミュニケーション入門　日本語教師のために』ひつじ書房

中西雅之（2000）『人間関係を学ぶための11章　インターパーソナル・コミュニケーションへの招待』くろしお出版

二通信子・大島弥生・佐藤勢紀子・因京子・山本富美子（2009）『留学生と日本人学生のためのレポート・論文表現ハンドブック』東京大学出版会

二通信子・佐藤不二子（2020）『新訂版　留学生のための論理的な文章の書き方』スリーエーネットワーク

野口ジュディー・幸重美津子（2007）『理系たまごシリーズ④　理系英語のプレゼンテーション』アルク

平木典子（2009）『改訂版　アサーション・トレーニング　—さわやかな＜自己表現＞のために—』日本・精神技術研究所

平木典子（2012）『アサーション入門　自分も相手も大切にする自己表現法』講談社

ホーク, フィリップ & ウィッティアー, F. ロバート（2013）『日本人研究者のための絶対できる英語プレゼンテーション』福田忍（訳）羊土社

ボーム，デヴィッド（2007）『ダイアローグ　対立から共生へ、議論から対話へ』金井真弓（訳）英治出版

三浦香苗・岡澤孝雄・深澤のぞみ・ヒルマン小林恭子（2006）『最初の一歩から始める日本語学習者と日本人学生のためのアカデミックプレゼンテーション入門』ひつじ書房

三宅和子・野田尚史・生越直樹（編）（2012）『「配慮」はどのように示されるか』ひつじ書房

宮野公樹（2011）『学生・研究者のための伝わる！学会ポスターのデザイン術　ポスター発表を成功に導くプレゼン手法』化学同人

八代京子・山本喜久江（2006）『多文化社会の人間関係力　実生活に生かす異文化コミュニケーションスキル』三修社

Langham, Clive（2010）『国際学会 English スピーキング・エクササイズ　口演・発表・応答』医歯薬出版

Burton, Graham（2013）*Presenting Deliver Presentations with Confidence,* HarperCollins

Reinhart, M. Susan（2013）*Giving Academic Presentations*（2nd ed.）, University of Michigan

著者紹介

仁科浩美（にしな ひろみ）

山形大学学術研究院 准教授（大学院理工学研究科国際交流センター主担当）。
東北大学大学院文学研究科博士課程前期修了、修士（文学）。東北大学大学院文学研究科博士課程後期修了、博士（文学）。
著書：『改訂版 大学・大学院留学生の日本語③論文読解編』アルク（共著）
　　　『アカデミック・ライティングのためのパラフレーズ演習』スリーエーネットワーク（共著）他

本文デザイン：竹内宏和（藤原印刷株式会社）
装丁デザイン：折原カズヒロ
装丁イラスト：坂木浩子（ぽるか）

■画像・写真提供
　朝日新聞社
　写真 AC
　西日本高速道路株式会社
　山形大学工学部の学生の皆さん

■動画
　作成協力：山形大学工学部の教員および
　　　　　　学生の皆さん
　撮影会場協力：山形大学工学部
　撮影・編集：プロジェクト M

留学生のための

考えを伝え合うプレゼンテーション

Skills for Exchanging Thoughts in Japanese Presentations

2020 年 8 月 30 日　　第 1 刷 発行
2023 年 8 月 3 日　　第 2 刷 発行

［著者］　仁科浩美

［発行人］　岡野秀夫

［発行所］　**株式会社 くろしお出版**
　　　　〒102-0084　東京都千代田区二番町 4-3
　　　　Tel：03・6261・2867　　　　Fax：03・6261・2879
　　　　URL：http://www.9640.jp　　Mail：kurosio@9640.jp

［印刷］　藤原印刷株式会社

解 答 例

※解答は例であり、答えは１つとは限りません。

タスク1 略^{りゃく}

タスク2 略^{りゃく}

タスク3

	A	B	C	D
目的	例）自分のことを覚えてもらい、クラスメートと良い関係が作れるようにする。	自分の国について関心を持ってもらう。	商品販売^{はんばい}の許可を上司^{じょうし}にもらう。	自分が行った研究の成果を話し、評^{ひょう}価を得^える。
聞き手	大学生のクラスメート	小学生	上司^{じょうし}、同僚^{どうりょう}	先生、学生
気をつけるべきポイント	違う専門分野の人にもわかりやすいように、専門的な用語は使わないようにする。	・小学生が興味^{きょうみ}を持ちそうな話題を選ぶ。 ・絵や写真を多く使い、飽^あきないようにする。	商品が優れたもので、売れる可能性が高いものであることをアピールする。	・目的、方法、わかったことを論理的に説明する。 ・客観的^{きゃっかんてき}なデータに基づき話す。

タスク4

何のために話すのか（目的）

　疑問解明^{かいめい}／問題解決のために行った研究について、聞き手に結論や成果を説明し、新しい情報の

　共有や意見交換^{こうかん}を行うため

何について話すのか（内容）

　研究してわかったことや考えたことについて

誰が聞くのか（聞き手）

　研究室の人、同じ学科・専攻・分野の人、先生、学生（学会などでは企業^{きぎょう}の人も）

自分の考えを理解してもらうために必要な情報は何か

　客観的^{きゃっかんてき}なデータや正確な事実

第2課

タスク1

例1

<u>自分の学科／専攻</u>**について**

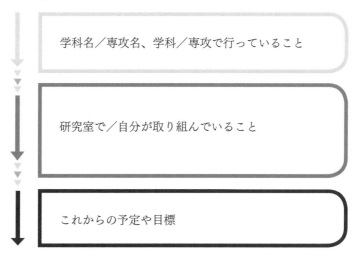

例2

<u>自分の研究</u>**について**

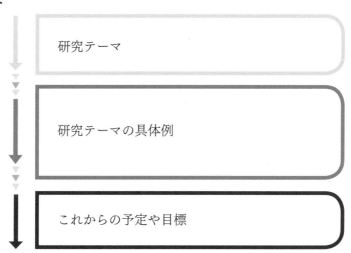

タスク2 略　※ pp. 21–22 も参考にしてください。

タスク 1

（1）

①説明がわかりやすくて、良かったと思います。

②はっきり話していて、聞きやすかったです。

③絵や写真を多く使っていたので、わかりやすかったと思います。

（2）

①専門的な用語が多くて、私には少しわかりにくかったのですが。

②スライドの文章（ぶんしょう）が長くてわかりにくいので、もっと短くして示（しめ）したらどうでしょうか。

③もう少し聞き手のほうを見て話すと良かったのではないかと思います。

タスク 2 略（りゃく）
タスク 3 略（りゃく）
タスク 4 略（りゃく）

タスク 1

（1）日本では、資源（しげん）を有効（ゆうこう）に使うことを大切に考え、リサイクルに力を入れています。日本に来たとき、ごみを分別（ぶんべつ）して捨（す）てなければならないことに驚（おどろ）きました。そして最近はさらに分別（ぶんべつ）の種類が細（こま）かくなる傾向（けいこう）があります。

（2）近年、社会がグローバル化してきて、英語の重要性がますます高まっています。しかし、日本の大学生は、英語に苦手意識を持っている人が多いようです。私の友人は小学校から塾（じゅく）に行って、英語を習ったそうですが、全然話せないと言っていました。

（3）私が日本に留学した理由は、専門の勉強をしたいというほかに、実は、昔から日本のアニメが好きだったということがあります。小さい頃（ころ）からテレビで日本のアニメを見ていました。たぶんそういう理由で日本に興味（きょうみ）を持った留学生は多いと思います。

（4）日本の食生活は非常に豊（ゆた）かです。和食、フランス料理、中国料理などいろいろな国の料理を食べることができます。最近の食生活は洋風化してきており、パンやパスタな

どを食べる人が増えてきて、ご飯を食べる人は減っていると言われています。

(5) 最近、東京や大阪のような大都市だけでなく、地方の都市にも外国からの観光客を多く見かけるようになりました。日本政府の発表によると、〇〇年以降外国人観光客は大幅に増加してきています。

タスク2 略

第5課

タスク1

(1)

A. 項目	B. 内容
対象者	留学生150名
調査日	20XX年5月
質問内容	日本のアニメは好きか、知っているアニメ、日本のアニメの面白さは何か等
回収率	132名（88.0％）
有効回答数	120名（80.0％）

(2)

A. 項目	B. 内容
対象者	日本人学生10名
インタビュー時間	1人約1時間
インタビュー方法	半構造化面接法
質問内容	英語学習歴、外国人との交流経験、苦手意識を感じる場面等

(3)

A. 項目	B. 内容
実験装置	サーモグラフィ（〇〇社製）
実験の手順	1. 協力者はシャワーを10分浴びる。その後、サーモグラフィで体温を測定する。
	2. 翌日の同時刻、浴槽に10分入り、その後、サーモグラフィで体温を測定する。
分析方法	サーモグラフィによる画像から、体の温まり方の差を比較する。

タスク2 略

第6課

タスク1

（1）

結果	考察
・全体的な傾向 2016年、2017年どちらも買い物の消費額が最も多いという結果が得られました。次に宿泊費、飲食費と続いています。 ・注目すべき点 特に、買い物代は全体の4割近くを占め、宿泊代より非常に大きな割合となっています。また、飲食費と比較すると、買い物代は2倍近い割合になっています。	支払う金額が一般的に大きい宿泊費より多くの金額を買い物に使っているという結果から、外国人旅行者は、多数の品や高額の品を購入していることがうかがえます。その理由としては品質の良い日本製品を手に入れたいという意識があると推測されます。 ・まとめ 　旅行にかける金額の多くは、宿泊費や飲食費より買い物に使われており、外国人旅行者は日本製の品を購入することを目的に来日していると思われます。

（2）

結果	考察
・全体的な傾向 　日本の化石エネルギーの依存度は92.3％と、7か国の中で最も高いです。 ・注目すべき点 　中国やインドでは石炭の割合が最も高いという特徴が見られました。一方、先進国は石油の割合が高いですが、その中でも日本は石油への依存度が高いという特徴が見られます。	日本の化石エネルギー依存度は90％以上であり、比較する7か国の中では最も高い割合です。中でも石油の依存度が高いのが1つの特徴です。原因の1つとしては、化石エネルギー以外のエネルギー開発がうまく進んでいないという可能性が考えられます。 ・まとめ 　7か国と比較すると、日本は化石エネルギー依存度が最も高く、エネルギー資源が乏しい国であるにも関わらず、代わりとなるエネルギーの開発が進んでいないことが明らかとなりました。

6

(3)

結果	考察
・全体的な傾向（けいこう） 　輸出額（ゆしゅつがく）は年々増加しています。	アニメは、放送コンテンツの中でも全体に占める割合が非常に大きく、輸出額（ゆしゅつがく）全体に大きな影響（えいきょう）を与（あた）える最も重要なコンテンツであることがわかります。2013 年度には 62.2 ％、2014 年度には 64.3 ％、2015 年度には 70.6 ％と、1 年ごとにその割合も増加しており、日本アニメに対する海外の需要（じゅよう）は高まっていると考えられます。
・注目すべき点 　放送コンテンツには、ドラマやバラエティなどいろいろなものがあります。3 年間の輸出額（ゆしゅつがく）を比較（ひかく）すると、ドラマやバラエティにはあまり変化が見られませんが、特にアニメについては、大きく伸（の）びているという特徴（とくちょう）が見られます。	・まとめ 　海外輸出額（かいがいゆしゅつがく）はアニメの大幅（おおはば）な伸（の）びにより、急激（きゅうげき）に増加しています。今後の動向もアニメの輸出額（ゆしゅつがく）の推移（すいい）に左右されると言えます。

タスク 2　略（りゃく）

第 7 課

タスク 1

(1)

図 7-4	図 7-5
結果 　2016 年、2017 年どちらもほぼ同じ結果が得（え）られています。最も多くの額を消費している項目（もくじ）は買い物代で、次に宿泊費（しゅくはくひ）、飲食費（いんしょくひ）と続いています。特に、買い物代は全体の 4 割近くを占（し）め、宿泊代（しゅくはくだい）より非常に大きな割合となっています。	**結果** 　2011 年から 2017 年まで旅行の消費額は年々増（ふ）えています。しかし、1 人あたりの消費額（しょうひがく）は 2015 年をピークに減少（げんしょう）しており、2017 年には 2015 年より約 2 万円減少しているという結果になりました。
考察（こうさつ） 　単価（たんか）が高い宿泊費（しゅくはくひ）より、多くの金額（きんがく）を買い物に使っているということから、外国人観光客は、品質（ひんしつ）の良い日本の製品（せいひん）に魅力（みりょく）を感じ、多数の品や高額（こうがく）の品を購入（こうにゅう）していることがうかがえます。	**考察（こうさつ）** 　旅行消費の総額（そうがく）が増加しているのは来日者数が増加していることが考えられますが、一人ひとりは使用する額（がく）を節約（せつやく）しており、決まった予算（よさん）の中で旅行を楽しむ傾向（けいこう）がうかがえます。
・まとめ 　旅行にかける金額（きんがく）の多くは、買い物に使われており、外国人旅行者は日本製（にほんせい）の品を購入（こうにゅう）することを目的に来日していると思われます。	・まとめ 　外国人旅行者が旅行で使うお金は以前ほど多くなく、無駄（むだ）づかいをせず、お金を有効（ゆうこう）に使用しようとする態度（たいど）が推測（すいそく）されます。

総合的な 考察のまとめ

　来日する外国人観光客は、日本での買い物を大きな目的としており、その額は宿泊費を上回っています。しかし、2015年以降は、1人あたりが日本で消費する額は少なくなっており、以前のように高額なものを購入する、まとめ買いをするという傾向は減少しているということが言えると思います。

(2)

図7-6	図7-7
結果 　2016年の日本の化石エネルギー依存度は、比較した7か国の中で最も高い92.3％でした。先進国5か国のみを見ても、石油および石炭に依存する割合が他国より高いことがわかります。	**結果** 　石油のエネルギーの供給は1973年度をピークに減少を続けており、2011年度からは大きな変化はあまり見られません。1980年度以降は原子力によるエネルギー供給が見られますが、2011年度に減少し始めました。その代わりに、天然ガスと石炭の割合が増えてきたことがわかります。また、自給率については、2010年度を境に減少し、2012年度以降は10％以下が続いています。
考察 　このように化石エネルギーへの依存が高い原因としては、日本がエネルギー資源に乏しいため、海外の資源に頼って多くのエネルギーを供給していることや、日本の狭い国土の地理的条件により、化石エネルギーに代わるエネルギーの開発が簡単ではないことなどが考えられます。この結果は、地球温暖化の問題から考えると、良い状況とは言えないことがわかります。	**考察** 　エネルギーの自給率を高めるためには、石油依存からの脱却と原子力や再生可能エネルギーの供給を増加させる必要があると思われます。しかし、2011年以降、東日本大震災での原子力発電所の事故の影響で停止している発電所が多く、再生可能エネルギーの供給が伸びていないため、今も化石エネルギーに依存する状況が続いていると考えられます。
・まとめ 　日本の化石エネルギーへの依存度は、他国と比較して非常に高い割合となっています。原因としては、エネルギー資源に乏しいことや、他のエネルギーの普及が進んでいないことが考えられますが、地球温暖化の点からは問題があると思われます。	**・まとめ** 　エネルギーの自給率を高めるため、原子力発電の割合が増えていましたが、大震災以降は再び化石エネルギーに頼らざるを得ない状況となっています。また、再生可能エネルギーの普及も進んでいないため、この状況はしばらく変わらないだろうと推測されます。

総合的な 考察のまとめ

　日本の化石エネルギー依存度は、他国と比較すると高く、特に石油への依存度が高いという特徴が見られます。1980年度からは原子力によるエネルギー供給も始まりましたが、大震災の影響で2011年度以降は減少しました。また、再生可能エネルギーについてはほとんど伸びが見られません。地球温暖化への影響が心配されるものの、日本は、依然として化石エネルギーに依存している実情が明らかとなりました。

(3)

図 7-8	図 7-9	図 7-10
結果 　輸出額は毎年増加しています。ジャンル別では、アニメが常に大きな割合を占めており、2013年度と2015年度を比較すると、約2.4倍の伸びを示しています。2015年度には輸出額の全体の70.6％と大きな割合を占めていることがわかりました。	結果 　アニメの輸出額は204億円で、ほかのジャンルの7倍以上となっています。輸出されている地域の大半はアジアであることがわかります。バラエティ、ドラマと比較すると、北米やヨーロッパも一定数の割合を占めており、世界中で楽しまれていることがうかがえます。	結果 　どの地域においてもアニメが占める輸出額の割合は8割前後で、他のジャンルより圧倒的に多いことがわかります。特に北米やヨーロッパでは、85％を超えています。
考察 　日本のアニメは年々輸出額に占める割合が高くなっており、日本のアニメの人気は世界的に高まっていると思われます。	考察 　これは日本のアニメの映像やストーリー性が優れているという質の高さが評価されていると考えられます。	考察 　この結果から、日本のアニメは多くの国々で需要があることがわかります。これは実際の人間が演じるものより、絵が動くストーリーのほうが地域を問わず共感され、受け入れられやすいのではないかということが推測されます。
・まとめ 　アニメは海外からの需要が高まっており、輸出の重要な位置を占めるジャンルとなっていると考えられます。	・まとめ 　日本のアニメはバラエティやドラマと同様、アジアにその多くが輸出されていますが、北米やヨーロッパでも受け入れられていることが明らかとなりました。	・まとめ 　どの地域でもアニメが占める輸出額の割合は非常に大きく、日本のアニメの持つ魅力が世界に浸透していることがわかります。北米やヨーロッパでは、その傾向がアジアより一層顕著であることが判明しました。

総合的な 考察のまとめ
　アニメの需要は順調に伸びており、輸出額は今後も増加すると推測されます。輸出額の半分以上はアジアですが、北米やヨーロッパでも輸出される放送コンテンツのほとんどがアニメであることがわかりました。これらのことから、日本のアニメは、アジアへの輸出規模が非常に大きいものの、アジアだけでなく、多くの国々にも高い需要があると言えます。

タスク2　略

第8課

タスク1

(1) a, c, d, f, h   (2) c ⇒ a ⇒ f ⇒ h ⇒ d

タスク2 略^{りゃく}

第9課

タスク1 略^{りゃく}

タスク2 略^{りゃく}

タスク3

①技術の急速な進歩   ②改善^{かいぜん}が必要   ③手続き（の）終了   ④治療^{ちりょう}に役立つ物質の発見
⑤徐々^{じょじょ}に悪化   ⑥申し込^こみ期間の延長^{えんちょう}   ⑦2040年　実用化の予定

タスク4

(1)

例1

```
        発表の際の準備物

  1. USBに入れた発表データ
  2. 発表メモ／発表原稿
  3. ポインター
  4. 時計
  5. 質疑応答用のペンとノート
                        など
```

例2

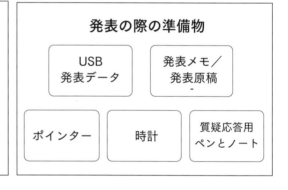

(2)

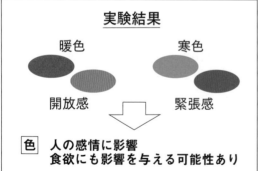

(3)

```
        日本の高齢化
        急速に進展

  ・内閣府の調査（予測）

    2045年　65歳以上の高齢者
    都道府県別          ┌────┐
    秋田県…50.1%       │最多│
                       └────┘
```

タスク5 略^{りゃく}

10

タスク1 ※日本人の大学院生が実際に作成したスライド（一部変更）を紹介します。

（1）

例1

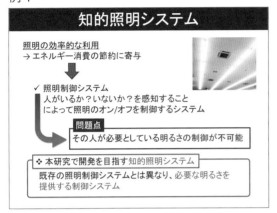

例2

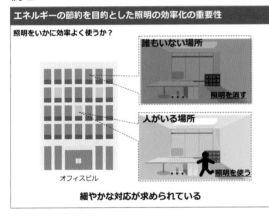
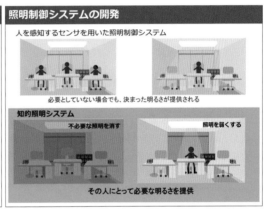

（2）

例1

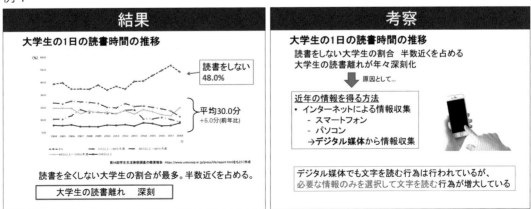

例2

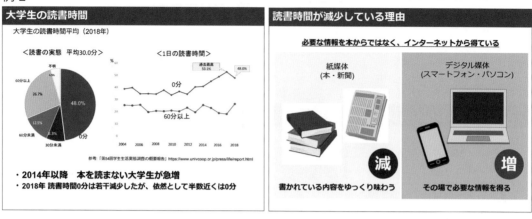

タスク2 略^{りゃく}

第11課

タスク1

（1）

a. 発表者	b. 質問者	c. b 以外の聞き手
・説明が足りなかった箇所^{かしょ}がわかる。 ・アドバイスをもらえる。 ・新しい視点^{してん}や考え方を得^えることができる。	・疑問に対する回答を得^えることができる。 ・自分の研究にヒントを得^えることができる。	・情報を共有することができる。 ・自分の研究にヒントを得^えることができる。

（2）略^{りゃく}

タスク2 略^{りゃく}

タスク3 略^{りゃく}

第12課

タスク1

（1）質問、ありがとうございます。それについては今回行っていないので、お答えすることができません。

（2）すみません。質問はわかりましたが、日本語で説明するのは少し難しいです。英語で説明してもよろしいでしょうか。

(3) すみません。ちょっと聞き取りにくかったのですが、もう一度お願いできますでしょうか。

(4) すみません。あのう、グロー…というのがわからなかったのですが。

(5) ご質問は、アンケートの回答を、実際に選ぶときの回答と同じだと考えてよいのか、ということでしょうか。

タスク2 略

タスク3

①はっきりとはわからないんですが

②んじゃないかと思います

③これですね

④そういうわけではないと思いますが…

⑤例えば

⑥とか、でしょうか

⑦なかなか見つかりませんでした

⑧別の資料も調べてみる必要があると思います

⑨あると思いますが

⑩今回は

⑪について資料を探したので、よくわかりません

⑫すみません

第13課

タスク1

(1) はい、確かに英語だけでは不十分で、数が多い中国・台湾や韓国の旅行者を意識して、それらの言語でもPRすることが大切だと思います。

(2) あのう、先生のおっしゃるインタビュー調査とは異なっているかもしれませんが、本研究では、決まった質問項目について口頭で聞き、それに選択式で回答してもらったものをインタビュー調査と呼びました。インタビュー形式のアンケート調査とも言えるかもしれません。もう少し用語の使い方を考えてみたいと思います。

タスク2 略

タスク3 略

タスク1

来日する外国人観光客に対して提供すべきサービス

国際文化学科 〇年　〇〇〇 〇〇〇〇

1.目的

- ●来日外国人観光客の著しい増加
2010年861万人から2015年1974万人（日本政府観光局 2016）
- ●しかし、旅行中に感じる不便・不満、必要としているサービスがあるはず。
- ●従来の調査は、実態調査が多く、提供すべきサービスについてはあまり調べられていない。

> より快適な旅行を提供するために、来日外国人観光客が必要としているサービスは何かを考える。

2. 調査方法

4つの調査報告書（右図）を使用。旅行中、不満だった点、あると便利なサービス、困った点などの本テーマに関連する部分を分析した。

A. 株式会社日本政策投資銀行(2014)「アジア8地域・訪日外国人旅行者の意向調査」	B. 国土交通省観光庁(2013)「訪日外国人の消費動向」平成25年7-9月期報告書
C. 国土交通省観光庁(2016)「訪日外国人の消費動向」平成28年7-9月期報告書	D. 国土交通省観光庁(2017)「訪日外国人旅行者の国内における受け入れ環境整備に関するアンケート」

3. 結果と考察

A. 株式会社日本政策投資銀行（2014）
「アジア8地域・訪日外国人旅行者の意向調査」

アジア8地域の旅行者対象
「不満だった点」
全体－1. 英語・母語が通じないこと
（シンガポール・香港）
　→ 対面の機会が多い日本人の
　　英語力の向上が必要
　　2. 旅行代金、遊び

D. 国土交通省観光庁（2017）
「訪日外国人旅行者の国内における受入環境整備に関するアンケート」

「旅行中に困ったこと」
複数回答・1つだけの回答共に
1. 施設でスタッフとコミュニケーションが取れない
2. 無料公衆無線LAN
3. 多言語表示が少ない
　→ 1・3-どちらも言葉に関すること
　　2 - C.と同様の結果

B・C .国土交通省観光庁（2013・2016）「訪日外国人の消費動向」

同時期7-9月の動向を比較「日本滞在中にあると便利な情報」
2013年　1. 交通手段
2016年　1. 無料Wi-fi　2. 交通手段　3. 飲食店　4. 宿泊施設
　　　　5. 買物場所　6. 観光施設
・スマホの急速な普及に対する対応の遅れ
・必要な情報はスマホから得ている。

→スマホで調べて、移動
食べる、買う、見るといった
観光の必需となる情報も十分に
提供できていない。

> 調査をまとめると、
> 現段階での問題は、情報を得たいとき、
> 1）無料Wi-Fiがない 2）言葉が通じない
>
> 無料Wi-Fiスポットの拡大　｜　外国語ができる人の採用・翻訳機活用

4. 結論

4つの調査結果から検討した、外国人観光客が日本で必要とするサービス
1) 無料公衆無線LANのサービス: 来日する外国人観光客はWi-Fiを使用し、情報収集
2) 英語および訪日客が多い地域の言語（中・韓）のサービス: 見る、遊ぶ、買い物のコミュニケーションに壁あり

今後の課題: 年代別によるサービスの違いの有無などの検討

分析資料
1. 株式会社日本政策投資銀行(2014)「アジア8地域・訪日外国人旅行者の意向調査」, http://www.dbj.jp/pdf/investigate/etc/pdf/book1411_01.pdf (201x年x月x日閲覧)
2. 国土交通省観光庁(2013)「訪日外国人の消費動向」平成25年7-9月期報告書、http://www.mlit.go.jp/common/001017130.pdf (201x年x月x日閲覧)
3. 国土交通省観光庁(2016)「訪日外国人の消費動向」平成28年7-9月期報告書、http://www.mlit.go.jp/common/001149546.pdf (201x年x月x日閲覧)
4. 国土交通省観光庁(2017)「訪日外国人旅行者の国内における受入環境整備に関するアンケート結果」http://www.mlit.go.jp/common/001171594.pdf (201x年x月x日閲覧)
参考資料
日本政府観光局 (2016)「統計データ(訪日外国人・出国日本人)」http://www.jnto.go.jp/jpn/statistics/visitor_trends/index.html （201x年x月x日閲覧）

タスク2 略

タスク3

「発表、聞いていただけますか」「説明させていただけませんか」「よかったら、説明しましょうか」「ご興味、ありますか」など

タスク4 略

第15課

タスク1 略

タスク2 略

タスク3 略